D0305439

DE TOMBE VAN DE TEMPELIERS

BERT WIERSEMA DE TOMBE VAN DE TEMPELIERS

De tombe van de tempeliers
Bert Wiersema

ISBN 978-90-8543-139-8
NUR 283
TREFWOORD middeleeuwen

Ontwerp omslag: Brigitte Wolthuis - Beeep
Illustratie omslag: Roelof van der Schans
Opmaak binnenwerk: Gerard de Groot

Uitgeverij Columbus is onderdeel van Uitgeversgroep Jongbloed te Heerenveen

www.jongbloed.com
www.leukekinderboeken.nl
www.bertwiersema.nl

Inhoud

HOOFDSTUK 1

Een vreemde vraag

'Zijn jullie nu al weer terug van vakantie?'
Steven glimlacht naar meneer Dusseljee, de koster van de kerk. Samen met zijn ouders en zijn zus Kirsten loopt hij de kerkzaal uit. De dienst is net afgelopen, en de koster maakt graag een praatje.
'We waren vroeg. De kinderen hebben wat eerder vrij gekregen omdat ik een opdracht in de Harz in Duitsland kreeg. Ik moest er foto's maken voor de folder van een hotel', antwoordt vader.
'Jij boft maar, Ton', vindt Dusseljee. 'Vakantie houden en werken tegelijk. Is er daar nog wat te beleven?'
Kirsten en Steven kijken elkaar aan. Dan schieten ze in de lach.
'Eh, ja', antwoordt vader. 'Dat kun je wel zeggen. In de Harz is wel wat te beleven. Maar als ik je erover vertel, dan geloof je het toch niet.'
'Ben jij al op vakantie geweest?' gooit moeder het over een andere boeg.
De koster schudt zijn hoofd. 'Sinds Marga overleden is, vind ik er niks meer aan om op vakantie te gaan. Iedereen doet allemaal gezellige dingen samen, en ik zit daar maar in m'n eentje tussen.'
Steven ziet de verdrietige blik in de ogen van de koster. Hij heeft medelijden met de man. Nog geen zestig en al een jaar of vijf weduwnaar. Hij laat nooit iets merken van zijn verdriet, maar aan zulke opmerkingen hoor je wel dat er een lege plek is in zijn leven. Daarnaast heeft hij ook nog eens last van zijn knieën. Steven ziet hem wel eens trekken met zijn benen, vooral als hij

moe is. Hij vindt het echt knap dat de koster toch zo optimistisch blijft. Zelfs met dat donkere brilmontuur en een borstelsnor ziet hij er nog gemoedelijk uit. Hij is een vriendelijke bromsnor. Een beetje ouderwets misschien, maar misschien word je dat wel als je geen vrouw meer hebt.

Dusseljee strijkt door zijn haar. 'Jullie hebben vast wel gehoord dat een half jaar geleden mijn vader is overleden. Ik kom er nu eigenlijk pas aan toe om zijn spullen een beetje op te ruimen', zegt hij. 'Het ouderlijk huis is verkocht. Ik was enig kind, alles was voor mij. Ik heb de meeste meubels aan een opkoper verkocht. Mijn vader was een wetenschapper. Hij had veel boeken. Die staan nu bijna allemaal bij mij. Ik heb de dozen voorlopig maar in de garage gezet. Ik wil de boeken gaan uitzoeken. Daar ben ik een flink deel van de vakantietijd wel zoet mee.'

De meeste mensen hebben de kerkzaal inmiddels verlaten. Kirsten en moeder groeten en lopen al in de richting van het kerkplein waar de gemeente in kleine groepen staat te praten. Vader maakt ook aanstalten, maar de koster wenkt hem mee naar het kleine keukentje in de hal. Hij kijkt wat gespannen. Steven, nieuwsgierig geworden, loopt achter hen aan.

In het keukentje draait de koster zich om en kijkt vader aan.

'Ton, kun jij nog een ouderwets fotorolletje ontwikkelen?'

'Je bedoelt in een donkere kamer?'

'Ja.'

'Ik heb dat wel geleerd, en vroeger ook veel gedaan, maar tegenwoordig gaat alles digitaal. Veel makkelijker en beter. Maar waarom vraag je dat?'

'Ik heb in de nalatenschap van mijn vader een fotorolletje gevonden.'

Vader knikt begrijpend.

'En nu wil jij weten wat erop staat?'

'Precies.'

'Daar heb je mij niet voor nodig. Bij elke fotozaak kun je een rolletje inleveren. Die sturen het naar een ontwikkelcentrale en binnen een week krijg jij je foto's.'

'Ja, maar naar dit specifieke rolletje ben ik heel nieuwsgierig. Het gaat hier waarschijnlijk niet om vakantiekiekjes. Ik wil dit alleen overlaten aan iemand die ik vertrouw.'

'O', zegt vader belangstellend. 'Wat verwacht je dan dat erop staat?'

Steven kijkt naar het gezicht van de koster. Hij glimlacht, maar je ziet dat hij gespannen is. Steven doet onwillekeurig een stap dichterbij.

'Tja, dat kan ik je zo niet even in een paar woorden uitleggen.' Hij kijkt vader aan. 'Ik wil je uiteraard gewoon betalen voor je werk. Misschien moet je van de week even langskomen.'

'Waarom kom je niet bij ons koffiedrinken?' zegt vader. ''t Is heerlijk weer. We zitten de rest van de middag lekker in de tuin. Blijf vanavond bij ons eten.'

'Lijkt me gezellig', zegt Dusseljee blij. 'Die zondagen in m'n eentje, daar kan ik ook maar niet aan wennen.'

'Nou, je bent bij ons altijd welkom, hoor.'

'Fijn. Ik sluit hier straks af en dan kom ik jullie kant op.'

'Best, dan hebben wij de koffie bruin, en de thee heet.'

Vader en Steven gaan terug naar de hal en daarna naar buiten. Steven kijkt nog eens achterom. Dusseljee loopt naar de kerkzaal en doet de lampen uit. Wat zou het voor een fotorolletje zijn?

Buiten schijnt de zon uitbundig. Kirsten maakt geintjes met een paar jongens en moeder neemt net afscheid van mevrouw Van de Kaaden.

'Esther, Robert Dusseljee komt bij ons eten. Dat vind je toch wel goed?' vraagt vader.

'Gezellig', zegt moeder. 'Natuurlijk kan hij blijven. Komt hij straks al koffiedrinken? Of heeft hij liever thee?'

''t Is een Groninger', grinnikt vader. 'Ga er maar van uit dat hij koffie drinkt.'

Met z'n drieën lopen ze naar de auto.

'Ik ben eigenlijk best wel nieuwsgierig naar dat fotorolletje', zegt Steven. Hij is benieuwd hoe vader zal reageren.

'Wat voor fotorolletje?' wil moeder weten.

'Dusseljee vroeg net aan pa of hij een rolletje kon ontwikkelen en afdrukken. Hij deed nogal geheimzinnig over wat er op stond. Hij heeft me nieuwsgierig gemaakt.'

Moeder kijkt bezorgd naar vader. 'Wat is dit, Ton?'

'Weet ik niet', zegt vader. 'Dat horen we straks wel.'

Een uur later schenkt moeder in. Inderdaad, koffie.

'Heerlijk', zegt Dusseljee. 'Dank je.'

Hij kijkt om zich heen. 'Wat wonen jullie toch op een superplekje. Zo'n vrijstaand huisje midden in de uiterwaard. Volgens mij kom je hier echt tot rust.'

'Niet als je onder één dak met Kirsten woont', zegt Steven terwijl hij met een scheef oog kijkt hoe zijn zus zal reageren.

'Tja', zegt ze quasibeledigd. 'Bij zo'n studiebolletje als Steven is het altijd rustig in de buurt. Maar ik ben gelukkig een puber waar nog een beetje pit in zit.'

'Ik hoor het al', zegt Dusseljee met een glimlach. 'Jullie kunnen geweldig met elkaar opschieten.'

'Och, je hoeft niet gek te zijn om met Kirsten om te gaan', zegt Steven. 'Maar het helpt wel.'

'Nou zeg, zo kan die wel weer', zegt Kirsten lachend. 'Wacht maar jongetje, ik pak je nog wel een keertje terug. Wie het laatst lacht, lacht het best.'

'Nee, hoor', zegt Steven droog. 'Wie het laatst lacht, is het traagst van begrip.'

Kirsten kan er gelukkig de lol van inzien. Ze schatert het uit. 'Da's een goeie.'

Steven pakt zijn mok thee. Hij ziet dat Dusseljee zit te genieten. Soms is het hier een gekkenhuis, maar alle dagen in een leeg huis zitten zoals de koster, nee, dat lijkt hem maar niets. Het gesprek golft nog wat heen en weer, maar intussen begint hij steeds nieuwsgieriger te worden. Zou de koster dat rolletje nog van huis hebben gehaald voor hij hier kwam? Wat zou er op staan? Foto's van zijn overleden vrouw misschien? Hoe kan hij het gesprek voorzichtig in die richting leiden? Als het even stil is, gooit hij een balletje op.

'Dus u gaat in uw vrije dagen dozen uitzoeken?'

Dusseljee knikt. 'Ik ben eigenlijk wel benieuwd wat ik daarin aantref. Mijn vader was een beetje, tja, hoe moet ik dat zeggen, een geheimzinnige man.'

'Geheimzinnig?' haakt vader erop in.

Dusseljee verschuift even op zijn stoel. Dan tast hij met zijn hand in zijn jasje. Uit zijn zak pakt hij een onooglijk wegwerpcameraatje en legt het voor vader op tafel.

'Hier gaat het allemaal om.'

Vader pakt het toestelletje op. 'Ik zou me van die foto's maar niet te veel voorstellen. Dit cameraatje is waarschijnlijk wel vijfendertig jaar oud. Zulke toestelletjes worden al lang niet meer gemaakt. Het was in die tijd al niet veel soeps. Zo'n ding gaf je aan je kinderen mee als ze op schoolreisje gingen. Je kon er foto's mee maken, maar daar was ook alles mee gezegd. Wil je echt dat ik hier nog wat van probeer te maken? 't Is vrij veel werk, en waarschijnlijk de moeite niet waard. Je hebt nog geluk dat er een zwart-witfilm in zit, want anders was ik er sowieso niet aan begonnen.'

'Het klinkt misschien gek, maar ik ben toch wel een beetje nieuwsgierig wat erop staat.'

'Nieuwsgierig?' zegt vader. 'Is er soms iets mee?'

Steven laat zijn adem ontsnappen. Hij is niet een beetje nieuwsgierig. Hij barst van nieuwsgierigheid.

Dusseljee aarzelt even. 'Ja, er is iets mee. Maar ik zou het op prijs stellen als jullie wat ik nu ga vertellen een beetje onder de pet willen houden. Ik, eh, ik wil niet graag voor gek versleten worden.'

'Is het dan zo'n gek verhaal?'

'Nou, nee, dat nou ook weer niet. Maar laat ik bij het begin beginnen. Eerst moeten jullie iets over mijn vader weten. Hij was een vrijmetselaar. Zegt jullie dat iets?'

'Da's iemand die muren maakt', zegt Kirsten. Steven schudt zijn hoofd. Hij weet het ook niet precies, maar het zijn beslist geen metselaars.

'Nee', zegt Dusseljee met een vage glimlach. 'Laten ze dat maar niet horen. Vrijmetselaars horen bij een geheim genootschap. Je kunt er lid van worden. Maar als je eenmaal lid bent, verplicht je jezelf om de geheimen van de vrijmetselaars te bewaren. Daar zijn ze heel beslist in. Mijn vader heeft wel geprobeerd uit te leggen waarom hij vrijmetselaar was, maar het vrijmetselaarschap heeft me nooit echt aangesproken. In het begin toen ik puber was, vond ik het wel interessant dat mijn vader lid was van een geheime groep. Toen ik verkering met Marga kreeg ben ik christen geworden. Marga moest niets hebben van de vrijmetselarij.'

'Wat doen ze dan voor geheimzinnigs?' wil Kirsten weten.

'Dat weet ik niet precies, want het is een geheim genootschap. Maar zo nu en dan pik je wel eens iets op. Officieel zijn het wereldverbeteraars, maar je hoort ook geruchten dat ze een wereldregering willen stichten. Denk nu niet dat mijn vader een gevaarlijke dweper was. Hij was professor in Groningen. Hij was een expert op het gebied van oude middeleeuwse handschriften. Als er een tekst gevonden werd in het Latijn, Oudnederlands of zelfs Picardisch, dat is Oudfrans, las hij het moeiteloos. Mijn vader was altijd op zoek naar het goede in de mens, het mooie in de natuur en de muziek, maar ook het interessante in de kunst. Hij was ervan overtuigd dat de mens zichzelf kon verbeteren.'

'Maar dat kan toch ook', zegt Kirsten. 'Sinds ik op volleybal zit, word ik steeds beter.'

'Zit er nou niet steeds door heen te kwaken', zegt Steven.

'Dat geeft helemaal niks', zegt Dusseljee. 'Vraag gerust. Natuurlijk kun je jezelf wel ergens in verbeteren, maar zo bedoelde mijn vader het niet. Hij geloofde niet alleen dat een mens ergens beter in kon worden, maar ook dat je zelf beter kon worden. Mijn vader was bijvoorbeeld niet blij dat ik christen werd. Christenen geloven dat deze wereld zondig is en dat er pas later een nieuwe hemel en een nieuwe aarde zullen komen. Dat vond hij onzin. Dat soort verhalen, daar werd je maar depri van. Maar ik heb wel altijd een heel goede band met mijn vader gehad, en trouwens ook met mijn moeder. Zij was ook vrijmetselaar.'

Hij schudt even met zijn hoofd. 'Toch is het altijd buitenkant gebleven. Nu mijn ouders niet meer leven, besef ik pas hoe weinig ik hen kende. Er was altijd die waas van geheimzinnigheid. Ze leefden letterlijk in twee werelden. Waarschijnlijk kenden de andere vrijmetselaars hen beter dan ik. Hoewel, zelfs daar ben ik niet zeker van.'

Moeder wijst op het rolletje. 'Nu ben ik toch eigenlijk wel benieuwd wat dat met dit rolletje te maken heeft.'

Dusseljee knikt. 'Vrijmetselaars van over de hele wereld beschouwen elkaar als broeders. In die zin kun je ze wel met christenen vergelijken. Die hebben ook wat met elkaar. Mijn vader had contact met allerlei vrijmetselaars van over de hele wereld. Vrijmetselaars komen niet bij elkaar in kerken, maar in loges. In veel steden vind je die loges. Mijn vader was een belangrijk lid van de loge van Groningen.

Op een dag kreeg hij een uitnodiging van een Belgische vrijmetselaar. Een schatrijke baron die op een klein kasteel vlakbij Brussel woonde. Deze man had een middeleeuws manuscript gevonden en wilde hem daarover raadplegen. Mijn vader is er heen gegaan, en ik weet nog dat hij heel opgewonden thuiskwam. Wat er gebeurd was, dat heeft hij nooit verteld. Dat hoorde bij zijn vrijmetselaarsgeheimen. Daar mocht en wilde hij niets over vertellen.'

'Vond u dat niet moeilijk?' wil Steven weten.

'Niet echt. Zo gingen we ons hele leven al met elkaar om. Ik was het bezoek aan België al lang vergeten, en zou er waarschijnlijk nooit meer aan gedacht hebben als ik er op de begrafenis van mijn vader niet aan werd herinnerd.'

'Door wie?' vraagt vader.

'De zoon van de baron. Ik zal het uitleggen. Een jaar geleden werd mijn vader ziek. Hij had kanker en wist dat hij niet lang meer zou leven. Hij geloofde niet in een leven na de dood, en zag er ook niet echt tegen op te sterven. "Voor ik werd geboren was alles zwart, en na mijn dood is dat weer zo", zei hij altijd. "Ik heb genoten van dit leven, het is goed zo."

Hij heeft zijn crematie helemaal zelf voorbereid. Hij had een lijst gemaakt van mensen die ik een rouwkaart moest sturen. Daarbij was ook een kaart aan baron Vandermole. Vader reisde na zijn eerste bezoek nog vaak naar België. De baron werd een van zijn beste vrienden. De kaart was niet gericht aan zijn kameraad baron Julius Vandermole, want die was inmiddels al gestorven. De kaart was voor zijn zoon, Jacques Vandermole. Jacques is de enige erfgenaam en woont in het familiekasteel. Hij is op de crematie geweest, samen met zijn butler en zijn chauffeur. Hij liet zich rijden in een limousine. Geld speelt geen rol in die familie. Er waren veel mensen op de crematie. Buren, kennissen, maar vooral heel veel vrijmetselaars. Ik zei al dat vrijmetselaars een hechte broederschap vormen, en bij hoogtijdagen zijn ze er voor elkaar. Voor de crematie stonden de mensen in de rij om mij te condoleren. Ik vond het vervelend om daar helemaal alleen te staan, want verder was er geen familie meer in leven.

Toen de baron mijn hand drukte vroeg hij beleefd of ik even tijd had voor een vraag van hem. Er stonden niet veel mensen meer in de rij, dus ik vond het prima. Hij vroeg mij of mijn vader ooit iets gezegd had over een fotorolletje dat in zijn bezit was. Ik schudde mijn hoofd. Ik wist niets van foto's. Maar hij drong aan. Het ging om een kleine wegwerpcamera. Ik zei dat ik hem echt niet helpen kon, en dat ik niets wist van zo'n dingetje. Toen stak hij zijn hand in zijn binnenzak, haalde er een gouden doosje uit en pakte daaruit een visitekaartje. Hij zei: "Mocht u ooit zo'n cameraatje vinden, dan wil ik dat graag van u weten. Ik zal u er goed voor belonen." Ik knikte maar wat en heb het hem min of meer beloofd.'

'En nu hebt u bij het opruimen van de dozen zo'n cameraatje gevonden?' begrijpt Steven. Het verhaal interesseert hem hevig. Waarom wil zo'n rijke kerel zo'n simpel cameraatje hebben? Zijn fantasie slaat meteen op hol. Er moet iets belangrijks op staan. Maar wat zou dat kunnen zijn? Dusseljee denkt er vast ook zo over. Waarom wil hij het rolletje anders laten ontwikkelen door iemand die hij vertrouwt?

Dusseljee knikt. 'Dat heb je goed geraden. In een bananendoos waar ik de inhoud van een klein kastje eerst maar in had gegooid vond ik een sigarenkistje. Toen ik dat openmaakte, zag ik er wat papieren in zitten en dit fototoestelletje. Dit is dus blijkbaar het cameraatje waar Jacques mij goed voor wil belonen. Ik heb op het punt gestaan om hem te bellen, maar ik wil eerst zelf wel eens weten wat erop staat. Toen dacht ik aan jou. Kun jij hier nog wat mee?'

'Ik zal het proberen. Ik heb nog wel filmontwikkelaar, fixeer en een stopbad. Ik moet mijn dokaspullen weer uit de mottenballen halen. Maar het ontwikkelen van een zwart-witrolletje is relatief eenvoudig. Dus dat gaat wel lukken', zegt vader. 'Je hebt me nieuwsgierig gemaakt. Morgen ga ik me er meteen mee bezighouden, ga er maar van uit dat ik morgenmiddag meer weet. Ik bel je wel. Ik leg het cameraatje meteen even binnen. Dat hij hier in de zon ligt is niet goed.'

Vader staat op en loopt naar binnen. Steven glipt meteen achter hem aan.

'Mag ik u helpen?'

'Ja, leuk. Dat scheelt een stuk werk. Dan kun je meteen eens zien hoe dat ontwikkelen en afdrukken gaat.'

'Yes', zegt Steven blij. 'Ik kan haast niet tot morgen wachten.'

HOOFDSTUK 2

Vreemde foto's

'Hé, ik dacht dat we dat samen zouden doen?'
Steven komt de trap af en ziet vader met een natte film door de gang lopen.

'Doe de deur van de donkere kamer maar even open. Wat ik tot nu toe gedaan heb moest ik toch alleen doen. Ik wilde je net roepen.'

Steven opent de deur van papa's voormalige doka. Hij ziet dat pa al de nodige voorbereidingen getroffen heeft. Mama's spullen staan in de gang. In het midden staat een tafel. Er staan bakken en flessen op en een vergrotingskoker. In de hoek staat een kastje. Pa hangt de film erin en sluit het deurtje.

'Zo, die kan drogen. Nu eerst een kop koffie en een hapje eten. Over een halfuurtje kunnen we los.'

Ze lopen naar de keuken. Het aanrecht staat vol met spullen.

'Waar bent u nu al die tijd mee bezig geweest?'

'Ik heb eerst het rolletje uit het toestel gehaald. Ik heb de film in de doka op een spoel gerold. Dat wilde ik het liefst even alleen doen. Ik heb het al een poos niet gedaan en het moet in het pikkedonker op de tast gebeuren. Dat deed ik dus liever even in mijn eentje.'

Hij wijst op een plastic bak die wel wat lijkt op een bloempot met een deksel erop.

'Ik had nog een ontwikkelsetje van Amaloco liggen. Ik heb ontwikkelaar gemaakt en de film in dat ding ontwikkeld, gefixeerd en gespoeld. Dat komt nogal precies. Als de film droog is gaan we de foto's afdrukken en dan kan ik je hulp goed gebruiken bij het spoelen. Zo, en nu eerst wat eten en een kop koffie. Wil je ook een kop?'

Steven knikt.

Pa doet koffiepads in het Senseo-apparaat en duwt een paar broodjes in het rooster.

Een paar minuten later zitten ze tegenover elkaar aan de ontbijttafel.

'Bent u ook zo benieuwd?'

Steven kijkt naar zijn vader.

Vader haalt zijn schouders op. 'Ik heb de film even tegen het licht gehouden. Ik ben bang dat het gaat tegenvallen. Zo te zien staan er wat vreemde vlekken op.'

'Vreemde vlekken?'

'Nou, in ieder geval niet iets herkenbaars. Geen personen, gebouwen of landschappen.'

'Hoezo, vlekken?'

'Ja, waarschijnlijk hebben ze iets van dichtbij gefotografeerd, maar ik kan zo niet zien wat.'

Steven voelt een rilling over zijn rug glijden.

'Vast iets belangrijks. Waarom bewaart iemand anders zo lang een wegwerpcamera?'

'Waarschijnlijk omdat hij hem vergeten is.'

'Maar die baron uit België is hem niet vergeten.'

'Tja, als die vader van de koster vaker zo'n camera kocht, dan kunnen hier best vakantiekiekjes op staan. Kantklossen op een boerenmarkt of zo.'

Steven schudt zijn hoofd. 'U verwacht er echt niks van, hè?'

'We zullen zien', antwoordt pa. 'Ga je mee?'

Samen lopen ze naar de gang. Pa opent de deur van de donkere kamer. Midden in het vertrek staat een tafel. Daarop staat een vergroter met een vergrotingsbord. Er staan spoelbakken klaar met vloeistof erin. In de hoek is een gootsteen. Steven herinnert zich dat daarin de afgedrukte foto's gespoeld moeten worden.

Vader haalt de film uit de droogkast. Met een schaar knipt hij de negatieven in korte stroken.

Vader steekt een negatief in de kop van de vergroter. In die kop zit een lamp die licht door het negatief kan laten vallen.

'Doe de knip maar op de deur en doe de rode lamp maar aan.'

Steven doet wat pa vraagt. Even later staan ze met z'n tweeën in een spookachtig rossig licht. Pa haalt een vel fotopapier uit een lichtdichte verpakking en legt hem onder de koker. Hij kijkt op zijn horloge en knipt het licht aan. Precies na zestien seconden doet hij het licht uit. Met de pincet tilt hij het vel in het ontwikkelbad. In het bad begint langzaam iets zichtbaar te worden. Steven kijkt gespannen toe. De witte vlek op het negatief wordt nu een donkere vlek op de foto.

'Wat een rare vlek is dat', zegt Steven verbaasd.

'Zie je nog niet wat het is?' vraagt pa. 'Kijk eens wat beter. Herken je die vorm niet?'

Steven kijkt nog eens. Langzamerhand wordt de vlek duidelijker. Een halfronde vorm met een donkere baan erin. Dan in het midden een donkere vlek die wel wat op een gat lijkt en daaronder nog een halfronde kleinere vorm.

'Gunst, nou zie ik het ook. Dat is een oor. Wie zet er nou een oor op de foto?'

Vader Ton pakt de negatieven. 'Zie je dat die vorm steeds terugkomt? Het zijn alleen maar foto's van oren.'

'Wie maakt er nou foto's van oren? Dan heb je weinig verstand.'

Pa schudt zijn hoofd.

'Degene die deze foto's gemaakt heeft wilde helemaal geen oren fotograferen.'

'Dat snap ik niet.'

Steven kan zijn teleurstelling nauwelijks verbergen. Wat een tegenvaller. Hij had zich er heel wat van voorgesteld, en nu dit. Welke dwaas fotografeert er nou oren? En wat zegt pa? Hij wilde het niet eens doen. Iedereen weet toch wat hij fotografeert?

'Pak die wegwerpcamera eens.'

Steven pakt de huls van de camera die op een schap ligt.

'Doe nou eens net of je een foto van me maakt.'

Steven houdt de camera voor zijn gezicht. 'Klik. U staat erop.'

Vader schudt lachend zijn hoofd. 'Dat is niet waar. Als er een rolletje in gezeten zou hebben, dan had je nu een prachtige foto van je oor gemaakt.'

Steven kijkt wat nauwkeuriger. 'Hè? Hou ik hem verkeerd om?'

'Precies', zegt pa laconiek. 'Daarom zijn deze toestelletjes ook maar even in de handel geweest. Je kunt nauwelijks zien wat de voor- en de achterkant is. Heel veel mensen denken dat dit de zoeker is, en dit de lens. En als je erdoor kijkt zie je het verschil ook niet. Als je een keer denkt dat dit de voorkant is, sta je je hele vakantie je oor te fotograferen. Menigeen die na de vakantie terugkwam om de foto's op te halen, kreeg een enveloppe vol oren mee. Dat gaf natuurlijk veel wrijving. Mensen die niet wilden betalen. Toen bijna geen fotohandel het apparaatje meer verkopen wilde, haalde de fabrikant het uiteindelijk uit de handel. Een flinke strop die indertijd heel wat gekost heeft.'

Vader vist de foto uit de ontwikkelaar en legt hem even in het volgende bad.

'Waarom doet u dat?'

'Dit is een stopbad. Een bad met zuur. Nu ontwikkelt de foto zich niet verder. Haal hem er maar uit en houd hem onder de kraan. Neem jij het spoelen maar voor je rekening, dan ontwikkel ik de volgende foto.'

Steven wijst naar de bakken vloeistof.

'Het heeft weinig zin de rest af te drukken.'

'Maar dat doen we wel. Ik heb Dusseljee beloofd dat ik het fotorolletje zou afdrukken en dat doe ik. Help je mee? Ik moet eerst maatregelen nemen zodat je naar buiten kunt, want anders kan ik mijn fotopapier weggooien.'

'Nee, natuurlijk help ik mee.'
'Dit valt je tegen, hè.'
'Eh ja, nogal.'

Samen werken ze nog een uurtje door. Ze drukken de ene foto na de andere af. Overal verschijnen de oren. Er zit er werkelijk niet eentje tussen die goed genomen is. Bij de meeste foto's is achter de oren vaag iets te zien, maar in ieder geval niet wat de fotograaf had willen fotograferen. Steven schuift de foto's over de tafel. Lucht, een stuk muur, contouren van gebouwen.
'Waar zou Dusseljees vader deze foto's genomen hebben?'
Pa laat zijn blik over de afbeeldingen glijden. Hij pakt een foto op.
'Ergens in een stad denk ik. Een oud stadscentrum? Ik weet het niet.'
Vader knipt het licht aan. Hij pakt een grote enveloppe en laat de foto's en de negatieven erin glijden.
'Bel jij Dusseljee of zal ik dat zelf doen?'
'Doe ik wel even.'
'Mooi', zegt pa. 'Dan ruim ik hier de spullen op.'
Steven loopt naar de kamer. Ma en Kirsten zijn aan het winkelen in Zwolle. Misschien had hij beter met hen mee kunnen gaan. Wat een tegenvaller, hij kan er nog niet over uit. In het kerkboekje zoekt hij het nummer van Dusseljee. Met zijn duim toetst hij het nummer in.
De telefoon gaat twee keer over.
'Dusseljee.'
'Dag meneer Dusseljee. U spreekt met Steven Simons. Vanmorgen heb ik samen met mijn vader de foto's ontwikkeld. Ik bel u even om te vertellen wat erop staat.'
'Ha jongen, geweldig. Ik ben een en al oor.'
Steven gniffelt even en barst dan in een schaterlach uit. Een en al oor!
'Is er wat?' klinkt de verbaasde stem van Dusseljee.

'Eh, ja. Maar dat kunt u niet weten. U zegt dat u een en al oor bent. En dat is grappig omdat op de foto's alleen maar oren staan.'

'Alleen maar oren? Hoe kan dat nou?'

'Ik vond het ook raar. Maar pa wist al gauw hoe het zat. Bij dat wegwerpcameraatje kun je bijna niet zien wat de voor- en wat de achterkant is. Uw vader heeft de camera steeds verkeerd voor zijn ogen gehouden en telkens als hij dacht dat hij ergens een foto van maakte zette hij zijn eigen oor op de foto.'

'Och, dat is ook wat. Dus de foto's zijn waardeloos?' De teleurstelling klinkt door in zijn stem.

'Als u graag een oor aan de muur wilt, zijn ze uitstekend, maar verder hebt u er weinig aan', probeert Steven hem een beetje op te beuren.

'Staat er verder helemaal niks op?'

'Nou, niet veel. Soms kun je op de achtergrond iets zien. Maar dat stelt allemaal niet veel voor.'

'Ik kom naar jullie toe. Ik wil ze graag met eigen ogen zien. En dan kan ik meteen je vader betalen.'

'Nou, da's prima. We zijn wel thuis.'

Een half uur later zit Dusseljee in de kamer op de bank. Hij houdt het stapeltje foto's in de hand en kijkt ze langzaam door. Steven let op zijn gezicht. Je kunt duidelijk zien dat het de koster allemaal erg tegenvalt. Waarschijnlijk had hij zich er meer van voorgesteld.

'Wat een domme fout van mijn vader. Nu zullen we wel nooit weten wat hij had willen fotograferen, en ook niet waarom die baron dat zo graag weten wil.'

'Dom is het niet', vindt vader. 'Kijk maar naar dat cameraatje. Je kunt haast niet zien aan welke kant je erdoor moet kijken. Jouw vader is echt niet de enige die deze fout heeft gemaakt.'

Dusseljee bromt wat. 'Hoeveel krijg je van me, Ton?'

'Ach, joh, ben je gek. Je hoeft me niet te betalen voor een stel waardeloze foto's. Beschouw dit maar als een vriendendienst. Ik had nog wat ontwikkelaar liggen en ik vond het wel leuk om het weer een keer te doen.'

'Nee, niks daarvan. Het heeft je materiaal gekost en je hebt je tijd erin gestoken. Ik wil je gewoon betalen.'

'Hoeft echt niet.'

'Nee, ik sta er op.'

'Ik maak wel een rekening.'

'Ja, doe dat. Nou, dan ga ik maar weer eens. Bedankt voor alle moeite die jullie gedaan hebben.'

Hij pakt de foto's van de tafel, steekt ze in een enveloppe, en neemt afscheid. Vader begeleidt hem naar buiten. Steven kijkt hem door het raam na, als de koster met zijn auto in de richting van de dijk rijdt. Jammer, hier had hij zich heel wat meer van voorgesteld.

Dat geldt evengoed voor Robert Dusseljee. Hij rijdt zijn Volkswagen Golf over de smalle dijkweg. Via de brug rijdt hij Wapenveld binnen. Zijn ruime huis is vlak bij de kerk. Hij heeft zijn schaapjes allang op het droge en hoeft niet meer te werken. Het kosterschap doet hij alleen om tussen de mensen te blijven. De kleine gemeente kan eigenlijk geen koster betalen. Robert Dusseljee doet het voor een symbolisch bedrag. Af en toe valt het hem zwaar. Zijn knieën zijn versleten. De pijn bij het lopen hindert hem bij het werk, maar hij voelt zich te jong om achter de geraniums te gaan zitten. Nu in de zomermaanden is het niet druk. De halve gemeente is op vakantie, en de meeste toeristen kerken in Zwolle of Heerde, waar grotere kerken zijn.

Hij zet zijn Golf onder de carport en pakt de enveloppe van de stoel naast hem. Hij trekt een pijnlijke grimas bij het uitstappen. Het autorijden gaat ook steeds minder. Terwijl hij naar de voordeur loopt, vist hij de sleutel uit zijn zak.

Als hij de deur opent roept hij zacht: 'Hallo, ik ben thuis, hoor.'

Hij weet dat niemand het hoort, maar het huis lijkt er minder leeg door. Hij gooit de enveloppe op de bar die de kamer scheidt van de open keuken. In de keuken schenkt hij zich een glas tonic in. Hij gaat op een van de barkrukken zitten en pakt de foto's er nog eens bij.

Hij schudt zijn hoofd en glimlacht. 'Pa, pa, en je was nog wel professor. Als je dit geweten had, dan had je die camera nooit bewaard.'

Hij steekt de foto's terug in de enveloppe. Wat moet hij er verder eigenlijk mee? Zal hij ze bewaren als een aandenken? Nee, dan heeft hij wel andere dingen om zich zijn vader te herinneren. Hij smijt de enveloppe in de oudpapierdoos achter de bar. Daar heeft niemand meer wat aan. Zelfs baron Jacques Vandermole niet. Hij aarzelt. Misschien toch goed om hem even te bellen. Hij had er tenslotte erg grote belangstelling voor. Gelukkig dat hij visitekaartjes altijd in een doosje bewaart. Soms heeft hij daar jaren later nog plezier van. Hij pakt het doosje uit een van de keukenkastjes. Na even rommelen heeft hij het kaartje met goudopdruk van de baron.

Hij loopt naar de kamer en tikt het nummer in. Een paar tellen later heeft hij de butler aan de lijn. Hij vertelt wie hij is en waarom hij de baron wenst te spreken.

'Een ogenblik geduld alstublieft.'

Het duurt maar even of de stem van Jacques Vandermole klinkt uit de hoorn.

'Dag, Robert Dusseljee. Hoe maak je het?'

'Met mij gaat het best. Met jou ook?'

'Ja hoor, ik heb geen klagen.'

'Misschien raad je al waarom ik bel.'

'Ga me niet vertellen dat je dat fotorolletje gevonden hebt!'

'Dat ga ik wel, maar ik moet je meteen teleurstellen. Er staat niet veel bijzonders op.'

Even is het stil. 'Laat me raden. Er staan allemaal oren op.'

Robert Dusseljee laat van verbazing bijna de telefoon uit zijn handen vallen.

'Ja, hoe weet je dat?'

Maar de baron lijkt hem niet te horen. Hij hoort hem alleen maar in de hoorn mompelen.

'Het rolletje bestaat echt. Het is er nog. Dat, dat ...'

'Jacques, ben je er nog?'

'Ja, ja, natuurlijk. Neem me niet kwalijk, Robert. Hoe weet jij dat er allemaal oren op staan? Heb je het rolletje laten ontwikkelen?'

'Ik vond bij mijn vaders spullen een wegwerpcamera. Als jij er niet zo nadrukkelijk om gevraagd had, had ik het ding waarschijnlijk meteen weggegooid. Nu was ik nieuwsgierig of het misschien om de foto's ging waar jij belangstelling voor had. Een kennis van me is fotograaf. Hij heeft de foto's voor me ontwikkeld en afgedrukt.'

'Had die fotograaf enig idee hoe die oren erop gekomen zijn?'

'Ja, mijn vader heeft de camera verkeerd voor zijn gezicht gehouden. Dat schijnt makkelijk te kunnen bij dat toestelletje.'

'Niet te geloven. Het is hem echt. Wat staat er nog meer op de foto's?'

'Niks, alleen oren. Mijn vader heeft geen enkele foto goed genomen. Maar hoe weet jij dat er allemaal oren op staan? Had je dat verwacht?'

'Ja. Maar dat is een nogal bizar verhaal. Heb jij toevallig vakantie? Kun je een paar dagen vrij nemen? Kom hier naar Val Duchesse en neem de foto's mee. Ik moet ze beslist zien.'

'Wat heb je nou aan een stapel oren?'

'Dat vertel ik je wel. Kom je hierheen of zal ik mijn chauffeur naar je toe sturen om de foto's te halen?'

'Nee, ik kom naar je toe. Ik hou niet van autorijden, ik kom met de trein. Kun je me van het station laten halen?'

'Best, bel even door wanneer je aankomt.'

De verbinding wordt verbroken. Robert staart naar de enveloppe in de papierbak.

HOOFDSTUK 3

Een niet-nagekomen afspraak

De trein rijdt het station van Zwolle uit. Robert Dusseljee kijkt op zijn horloge. 't Is nog geen uur geleden dat hij het vreemde telefoontje met Jacques gehad heeft. Hij heeft snel wat spullen in een koffer gedaan. Robert heeft tegen de hulpkoster gezegd dat hij zondag waarschijnlijk al lang weer terug is. Maar nu hij hier zit en het landschap aan hem voorbijglijdt, heeft hij helemaal geen zin om gauw terug te gaan. Een paar dagen in Brussel op het kasteel van de familie Vandermole trekt hem wel. Hij is er jaren geleden eens geweest met zijn ouders. Toen heeft hij Jacques leren kennen. Een vriendelijke man. Net als bij de meeste vrijmetselaars hing er toch een waas van geheimzinnigheid om de baron. Misschien komt het wel daardoor dat ze nooit echt close zijn geworden. Toch heeft hij zin om weer eens bij te praten. Bovendien is hij brandend nieuwsgierig waarom Jacques geïnteresseerd is in foto's van oren.

Hij tast in zijn binnenzak. De foto's heeft hij in een kleinere enveloppe gedaan. Eerst wilde hij de negatieven ook meenemen. Maar dat heeft hij toch maar niet gedaan. Stel dat de foto's inderdaad een geheim bevatten, dan is het misschien niet verkeerd dat hij in staat is ze nog een keer af te laten drukken. Hij heeft de negatieven bij de papieren van zijn vader in het sigarenkistje gedaan. Even heeft hij de papieren eruit gepakt. Het zijn kopieën van documenten, maar die zijn geschreven in een taal die hij niet kan lezen. Pa heeft er delen van onderstreept. Later zal hij die papieren nog eens goed bekijken, nu heeft hij daar de tijd niet voor.

Hij trekt de enveloppe tevoorschijn en bekijkt de foto's nog eens. De oren vullen een groot deel van de foto's, maar soms is er wel iets van de achtergrond te zien. Eentje is er gemaakt voor een stenen muur. Op een paar zie je alleen maar lucht, maar op sommige zijn gebouwen te zien. Eentje lijkt er zelfs op een kerkhof gemaakt te zijn. Wat heeft zijn vader toch in vredesnaam op de foto willen zetten?

Hij haalt zijn schouders op. Jacques zal het hem wel vertellen. Hij gaat staan en pakt het boek dat hij in de koffer gesmeten heeft. Een spannende relithriller. Hij slaat het boek open bij de bladwijzer. Dan herinnert hij zich dat hij Jacques zou bellen. Hij tikt het nummer in en vertelt hoe laat hij in Brussel aankomt. Jacques belooft dat zijn chauffeur hem daar zal opwachten.

Robert klapt zijn mobiel dicht en slaat opnieuw zijn boek open. Binnen vijf minuten sleept het verhaal hem helemaal mee.

Als de trein het station van Brussel binnenrolt, heeft hij het boek bijna uit. Met tegenzin slaat hij het boek dicht en stopt het in zijn koffer. Het station van Brussel is gigantisch groot. Gelukkig weet hij hoe de chauffeur eruitziet. Hij was al in dienst toen hij de laatste keer op het kasteel te gast was. Bovendien draagt de man een uniform. Als hij de trein uitstapt, ziet hij meteen dat hij niet hoeft te zoeken. Herbert Houyet staat hem al op te wachten. Herbert is een kleerkast van een vent. Een vriendelijke reus, die niet alleen is aangenomen om zijn rijprestaties. Miljardairs als Jacques Vandermole moeten er altijd rekening mee houden dat ze slachtoffer van ontvoerders kunnen worden.

'Dag, Herbert, alles goed?'

'Prima, meneer Dusseljee. Fijn dat u er bent. Laat me uw bagage overnemen.'

Samen wandelen ze over de uitgestrekte perrons naar de uitgang. Op de parkeerplaats staat de donkerblauwe Bentley klaar. Herbert houdt het achterportier open. Robert nestelt zich op de zachte, witleren stoelen. Zo, dit is toch wel heel iets anders dan zijn Golfje. Herbert zet de bagage in de kofferbak en kruipt achter het stuur.

Robert laat zich tijdens de rit behaaglijk achteroverzakken. Brussel heeft wel wat. Bewonderend kijkt hij naar het koninklijk paleis waar ze net langsrijden. Even later vangt hij nog een glimp op van de schitterende triomfboog in het Jubelpark. Veel te snel doemen de hoge hekken van Val Duchesse op. Val Duchesse, vallei van de hertogin. Een enorm landgoed aan de rand van de stad. Het uitgebreide park heeft maar liefst twee hoofdgebouwen. Links, ver van de ingang, staat omringd door hoge bomen het middeleeuwse kasteel dat de verre voorvaderen van de Vandermoles gebouwd hebben. Eeuwenlang is het in gebruik geweest. Pas in de achttiende eeuw heeft baron Peppijn Vandermole een modern kasteel laten bouwen. Hij was getrouwd met een hertogin, en noemde het nieuwe kasteel Val Duchesse.

De Bentley rijdt langzaam over het knarsende grind. Links en rechts staan metalen paaltjes. Lantaarnpalen staan op regelmatige afstanden. Ze dragen elk drie bolle lampen die 's nachts de oprijlaan kunnen verlichten. Na een flauwe bocht komt het hoofdgebouw in zicht. Een bordes, dubbele deuren met sierlijk houtsnijwerk. Rechthoekige ramen in een brede melkwitte gevel. Vier verdiepingen hoog. Daar nog bovenuit steekt de korte stompe toren met zijn halfronde dak.

Recht voor het bordes brengt Herbert de wagen tot stilstand. Hij opent het portier en laat Robert uitstappen. Boven op het bordes gaat de deur open. Philippe de butler komt naar buiten en loopt met afgemeten passen de treden van het bordes af. Hij maakt een lichte buiging. 'Welkom op Val Duchesse, meneer Dusseljee.' 'Dag, Philippe. Ik ben blij dat ik hier weer eens ben.' Opnieuw maakt Philippe een kleine buiging. Robert kijkt naar de kleine gedrongen man. Echt een butler van de oude stempel. Stijf en formeel, maar altijd vriendelijk en attent. Terwijl Herbert de koffer van de grond pakt, verschijnt in de deuropening de gestalte van de baron.

Een normaal postuur. Een onberispelijke, kortgeschoren, grijze baard. Zijn haar heeft dezelfde kleur. Hij zal een jaar of zestig zijn, maar dat geef je hem niet. Hij straalt jeugdige energie uit. Zijn donkerbruine ogen lijken dwars door je heen te kijken. Een brede glimlach plooit zijn gezicht terwijl hij zijn armen spreidt.

'Robert. Welkom. Fijn dat je er bent.'

Vlug beklimt Robert het bordes en geeft de baron een warme hand.

Jacques pakt hem bij de schouders. 'Je bent mager geworden. Zorg je wel goed voor jezelf?'

'Jawel, maar Marga was altijd degene van de lekkere hapjes. In je eentje eet je geen gebakje.'

'Je mist haar, hè.'

Even voelt Robert een pijnlijke steek.

'Ja', zegt hij zacht. 'Ik mis haar elke dag. Meer nog dan ik had verwacht.'

De baron knikt zwijgend. Even trekt een pijnlijke trek over zijn gezicht.

'Ik had je veel eerder moeten uitnodigen.'

'Ik weet niet of ik gekomen was. Vooral in het begin wilde ik maar het liefst alleen gelaten worden. Pas een jaar geleden heb ik mezelf bij elkaar geraapt en een baantje als koster in de kerk aangenomen. Ik wilde niet compleet vereenzamen.'

'Een verstandig besluit. Kom binnen.'

Robert glimlacht. 'Ik ben nu toch wel blij dat ik er ben. En om heel eerlijk te zijn ben ik benieuwd waarom jij in die waardeloze foto's geïnteresseerd bent.'

'Wil je het meteen weten, of fris je je liever eerst wat op?'

'Ik ben fris genoeg.'

'Prima. Pak dan de foto's. Herbert brengt je spullen wel naar je kamer. Philippe zet thee. Kom mee naar de bibliotheek.'

Robert neemt de koffer van Herbert over en haalt de enveloppe eruit. Door een lange gang lopen ze in de richting van de leeszaal. Robert kijkt om zich heen naar het paleisachtige interieur. Links en rechts staan harnassen. Dikke wandtapijten bedekken de muren. Boven hun hoofd schitteren kroonluchters aan een gebeeldhouwd plafond.

'Is je vrouw er niet?'

'Nee, Frederique is een maand bij onze zoon in New York.'

'Tjonge, da's lang. Dus Bertrand woont nog steeds in New York?'

'Hij heeft net een appartement in Manhattan gekocht. Frederique helpt hem inrichten.'

'Dus je bent een maandje vrijgezel?'

De baron aarzelt even voor hij antwoordt.

'Ik voel me al jaren een getrouwde vrijgezel. Onze verhouding is niet zoals die van jou en Marga was.'

Even heeft Robert de neiging te vragen hoe dat komt. Hij kan zich niet herinneren dat het huwelijk van Jacques vroeger niet goed was. Maar misschien is het een wat pijnlijk onderwerp. Hij is hier voor de foto's.

Ze stappen de leeszaal binnen. De zoldering van de bibliotheek is beschilderd met engelenfiguren. Alle wanden zijn bedekt met boekenkasten, waarin alleen twee grote ramen zijn uitgespaard. Duizenden in leer gebonden oude boeken, maar ook een kast met moderne boeken. Links staat een enorme globe en in het midden een monumentaal gepolitoerd bureau met een ingelegd wortelnoten blad. Jacques gaat aan het bureau zitten en gebaart Robert een stoel bij te trekken. Tegenover elkaar zitten ze aan het bureau. Robert opent de enveloppe en legt de foto's voor de baron neer. Die schuift de foto's met zijn vingers uit elkaar.

'Niet te geloven. Het zijn ze echt.'

Hij pakt een paar van de foto's op en bekijkt ze aandachtig.

'Ze zijn duidelijker dan ik had gehoopt.'

'Nou snap ik er helemaal niks meer van', zegt Robert verbaasd. 'Duidelijker? Er staan alleen maar wazige oren op. Wat zie jij wat ik niet zie?'

'Weet je dat echt niet? Heeft je vader het er nooit over gehad?'

'Nooit, ik heb echt geen flauw idee. Mijn vader was net als jij vrijmetselaar. Hij had zijn geheimen. Daarnaar vroeg je niet, want je kreeg toch geen antwoord.'

'Jij bent nooit vrijmetselaar geworden?'

'Nee.'

'Misschien dat ik daarom meer weet dan jij. Mijn vader heeft er met mij wel over gesproken.'

Er ligt Robert een nare opmerking over geheimzinnigdoenerij op de lippen, maar hij houdt zijn mond. Jacques is blijkbaar van plan het een en ander te onthullen.

'Heeft je vader ook nooit verteld hoe hij met mijn vader bevriend is geraakt?'

'Jouw vader had middeleeuwse handschriften in zijn bezit. Mijn vader was een expert op dat gebied.'

'Heeft hij nooit verteld welke documenten hij vertaald heeft?'

Robert schudt zijn hoofd. 'Nee, ik weet echt van niets. Het enige wat ik weet is dat hij deze camera bewaard heeft in een sigarendoos, samen met kopieën van documenten en aantekeningen.'

Jacques kijkt geschrokken op.

'Wat? Kopieën? Aantekeningen? Wat stond daarop?'

Na een korte tik gaat de deur open. Philippe stapt binnen. Met een dienblad waarop een pot thee staat.

'Ik weet het niet precies. Het zijn fotokopieën van documenten. Waarschijnlijk gemaakt om aantekeningen op te kunnen maken. Sommige zinnen waren onderstreept, en hier en daar stond er iets bij. Maar vraag me niet wat. Ik heb er nauwelijks naar gekeken.'

Jacques gebaart naar zijn butler. 'Zet maar neer. Zou je ons alleen willen laten?'

Philippe knikt en loopt meteen de bibliotheek uit.

Peinzend kijkt Jacques naar de foto's. 'Dat is niet best.'

'Wat is niet best? Kun je nu eindelijk eens uitleggen wat er aan de hand is?'

Jacques kijkt hem een ogenblik zwijgend aan.

'Ik moet je iets vertellen over je vader, dat je misschien niet leuk zult vinden.'

'Laat het me toch maar weten.'

'Weet je wat tempeliers zijn?'

'Natuurlijk weet ik wat tempeliers zijn. Ze behoorden tot een geheime middeleeuwse ridderorde die later verboden werd. De tempeliers werden beschuldigd van ketterij en de orde werd verboden. Veel tempeliers werden gemarteld en gedood, anderen doken onder. Sommigen sloten zich aan bij de metselaarsgilden. Waarschijnlijk zijn daaruit de vrijmetselaars ontstaan. Daar heeft mijn vader me alles over verteld.'

'Weet je van de schat van de tempeliers?'

'Ja, maar dat is een legende. De tempeliers zouden een schat bewaakt hebben. Ze zouden hun schat op schepen naar Schotland gebracht hebben. Maar er is nooit een cent van teruggevonden.'

'En als ik je nou eens vertel dat dat geen legende is.'

Robert kijkt zijn vriend verbaasd aan.

'Er is wel een tempelierschat in Schotland?'

'Niet in Schotland. Hier in België!'

'Hier in België? Waar dan?'

'Dat weet ik niet. Maar onze vaders wisten het wel.'

Robert schudt verbaasd zijn hoofd. 'Mijn vader?'

Opnieuw dringt het tot hem door hoe slecht hij hem kende. Hij wist van een schat en heeft er nooit met een woord over gerept?

'Wil je meer weten?' vraagt Jacques zacht.

Robert knikt zwijgend. Jacques schenkt thee in en begint te vertellen.

'Mijn vader verzamelde middeleeuwse handschriften. Op een dag kwam hij met een bijzonder document thuis. Hij sprak er niet over. Pas toen ik hoog genoeg was opgeklommen in onze vrijmetselaarsloge heeft hij ervan verteld. Mijn vader las het document en kreeg een vermoeden. Hij dacht dat een deel van de tempeliersschat op een hooiwagen naar België gebracht is. Vlak nadat de orde van de tempeliers verboden was. Zie je de verklede ridders lopen naast de hooiwagen waar onder het hooi een schat lag met een ongelooflijke waarde? Het hele verhaal over de ketterij was verzonnen om hun de schat af te kunnen pakken. Nu de schat verdwenen was, zouden de tempeliers vast in ere worden hersteld. Dat hoopten ze tenminste. De tempeliers die de schat hier brachten doken onder. De schat werd tijdelijk ondergebracht in een klooster. Alleen een cisterciënzer monnik wist ervan. Ze wachtten hun kans af, maar de kans kwam nooit. De orde van de tempeliers werd niet hersteld. De monnik en de ridders besloten de schat te verbergen op een plaats waar ze nooit gevonden zou worden. Ze werden oud en stierven de een na de ander. Ten slotte bleef alleen de oude monnik over. Hij was de enige die nog wist waar de schat zich bevond. Wat zal de man het moeilijk gehad hebben. Niemand kon hij vertrouwen. Toen kreeg hij een plan. Hij heeft een document geschreven dat alleen begrepen zou kunnen worden door tempeliers. Een brief vol raadsels die de weg naar de schat zou vertellen aan degene die er verstand van had. Mijn vader heeft die brief gevonden. Hij las hem, maar kwam er niet uit. Hij heeft contact opgenomen met jouw vader, professor Dusseljee, die deskundig was op dat gebied. Samen hebben ze het raadsel ontcijferd. Ze maakten kopieën om makkelijker te kunnen werken.'

Robert luistert gespannen. Het is onvoorstelbaar dat zijn vader hier nooit met een woord over gerept heeft.

'Toen ze in de buurt van de schat kwamen besloten ze foto's te maken', gaat Jacques verder. 'Het zou immers een historische ontdekking worden. Omdat ze geen fototoestel bij zich hadden kochten ze een wegwerpcamera. Pas op het laatst, toen ze een foto van zichzelf bij de bergplaats maakten, zag mijn vader dat jouw vader het toestel al die tijd verkeerd om gehouden had. De foto's waren mislukt. En daar waren ze blij om. Want toen ze de schat werkelijk ontdekt hadden, hebben ze afgesproken die met rust te laten en niemand iets te vertellen. Jouw vader beloofde de camera en de aantekeningen te vernietigen, maar dat heeft hij niet gedaan. We zullen wel nooit weten waarom.'

Robert zit met volle aandacht te luisteren. Hoe heeft zijn vader dat ooit geheim kunnen houden? Waarom heeft hij zijn belofte gebroken? Trots? Er geen afstand van kunnen doen omdat het de ontdekking van zijn leven was? Had hij er misschien later in zijn leven toch over willen praten? Vader is toch nog vrij plotseling overleden aan een hersenbloeding.
'Misschien is mijn vader altijd wel van plan geweest om zijn aantekeningen te vernietigen, maar is het er nooit van gekomen.'
'Mijn vader heeft altijd een vermoeden gehad dat je vader zijn belofte niet nagekomen is. Als ze erover spraken deed hij er nogal ontwijkend over. Vandaar dat ik er op zijn crematie zo nadrukkelijk naar vroeg.'
Robert haalt zijn schouders op. 'Ik weet het niet. Ik begrijp steeds minder van mijn vader. Je vindt een schat en je neemt hem niet mee.'
Hij kijkt zijn vriend aan.
'Waarom hebben ze de schat eigenlijk laten liggen, weet je dat ook? Was er iets mee aan de hand?'
Er trekt een pijnlijke trek over Jacques gezicht.
'Dat weet ik niet. Dat heeft mijn vader, net als die van jou, nooit willen vertellen.'

HOOFDSTUK 4

Verdwenen foto's

'Dus jij weet ook niet waar de schat ligt?' vraagt Robert ongelovig. 'Of is dat een van je vrijmetselaarsgeheimen?'
Jacques schudt een beetje geïrriteerd zijn hoofd. 'Om heel eerlijk te zijn interesseert de schat me niet echt. Het geld heb ik niet nodig, en onze vaders kennende zullen ze een goede reden hebben gehad om de ontdekking te verbergen. Ik maak me meer zorgen om iets anders. Als het hen gelukt is de schat te vinden, dan zouden anderen dat ook kunnen. Mijn vader heeft de originele documenten hier in de kluis gelegd. Ik heb er niets aan, want ik kan er weinig van lezen. Maar er zullen ongetwijfeld mensen zijn die dat wel kunnen. Zeker met die aantekeningen op de kopieën die je thuis hebt liggen is het misschien niet eens moeilijk om de schat te vinden. Ik wil per se niet dat alles waar de tempeliers hun leven voor gegeven hebben in verkeerde handen terechtkomt. Dat is gewoon niet goed.'
'Ik had de negatieven en de documenten mee moeten nemen', zegt Robert. Hij voelt zich schuldig. Alleen omdat hij zo nieuwsgierig was, heeft hij alles thuisgelaten. Als een achterdeurtje, omdat hij de baron niet helemaal vertrouwde. Is dat een trekje van zijn vader?
'Zal ik meteen naar huis gaan om ze te halen?'
'Welnee, het loopt tegen de avond. We gaan eten en eens bijpraten. Morgen zien we wel weer.'
Jacques pakt de foto's bij elkaar en stopt ze in een van de laden van het bureau.

'Ga je mee? Ik denk dat het eten al bijna wordt geserveerd.' Hij trekt aan een belkoord. Even later stapt Philippe binnen.

'Meneer had gebeld?'

'Hoever is Hillebrand met het eten?'

'U kunt alvast aan tafel plaatsnemen. Er is gedekt in de kleine eetkamer.'

Jacques gaat zijn gast voor. De kleine eetkamer blijkt een ruime serre vanwaar je een prachtig uitzicht hebt over het park. In het midden staat een royale tafel van minstens een meter of drie. Daarop een zilveren schaal met een bloemstuk. Aan beide uiteinden een stoel, een bord en een serie bestek. Uit een wijnkoeler steekt de hals van een fles.

'Ga zitten.'

Jacques pakt een doek van de tafel en vist de fles uit de koeler.

'Dit is een prima chianti. Zullen we vast een glas heffen?'

'Lekker.'

Jacques giet de dieprode vloeistof in twee kristallen wijnglazen.

Robert nipt van zijn glas. Heerlijk, dit is heel wat anders dan de wijn die hij meestal koopt. Was Marga maar hier. Wat zou ze genoten hebben van deze verwennerij. Na een korte klop op de deur stapt de butler binnen. Hij duwt een wagentje voor zich uit met een zilveren kom erop.

'De maaltijd is klaar, meneer. Ik wilde beginnen met een mosterdsoep.'

Robert kijkt naar de man. 'Klinkt goed, Philippe. Schep maar eens op.'

Met een grote lepel vult de butler twee borden en plaatst ze netjes voor de baron en zijn gast.

'Belt u voor de volgende gang?'

'Ja, dat doe ik.'

'Eet smakelijk, heren.'

Robert vouwt kort zijn handen en pakt dan zijn lepel. De soep heeft een lichtbruine kleur, er drijven kleine stukje uitgebakken spek in. Voorzichtig neemt hij een hap. Verrukkelijk. Hij kan zich niet herinneren ooit zulke lekkere soep geproefd te hebben.

'Dit is heerlijk, zeg. Je kok kan er wat van.'

'Ja, zeker als je bedenkt dat hij als kapper begonnen is. Toen hij kaal werd was hij niet bepaald goede reclame voor zijn eigen bedrijf. Hij besloot van zijn hobby zijn beroep te maken. Hij heeft gewerkt in een restaurant met twee Michelinsterren. Daar heeft hij van een echte chef-kok de fijne kneepjes geleerd. Toen ik een keer in dat restaurant gegeten had, heb ik hem in dienst genomen. Hij woont met zijn gezin in Brussel, maar elke avond vertoont hij hier zijn kunsten.'

'Nou, ik ben benieuwd.'

Na de soep komt de butler terug met het voorgerecht. Kleine stukjes haring in honingsaus. Een niet voor de hand liggende combinatie, maar ook hier zou je zo je vingers bij opeten. Robert geniet van het culinaire hoogstandje. Alles is even lekker. Maar dat hij niet in z'n eentje zit te eten is misschien wel de grootste vreugde aan de maaltijd. Na het dessert meent Robert verderop in het gebouw gerinkel van glas te horen. Alsof iemand een glazen schaal laat vallen. Hij kijkt naar Jacques, maar die lijkt het niet te horen.

'Tjonge, wat heb ik lekker gegeten. Eet jij elke dag zo?'

'Als er gasten zijn doet Hillebrand extra zijn best, maar hij heeft me nog maar zelden iets voorgezet wat ik niet lekker vond. Ik zal Philippe bellen dat er afgeruimd kan worden. Het is een mooie avond. We zouden een wandeling in het park kunnen maken. Misschien heb je zin om een van de torens van het oude slot te beklimmen? Je hebt daarboven een fantastisch uitzicht over de stad.'

'Ik vind het best.' Robert is blij dat hij naar Brussel is gegaan. Sinds de dood van Marga heeft hij zich zelden zo prettig gevoeld.

Jacques staat op van tafel en trekt aan een belkoord. Ze wachten op de komst van de butler. Tot Roberts verbazing komt de man niet meteen. Jacques kijkt op zijn horloge, staat op en trekt nog eens aan het belkoord.

'Dat is me nog nooit overkomen', mompelt hij. Na twee minuten is er nog geen spoor van de butler.

'Dit is niet normaal', zegt Jacques bezorgd.

'Ik meende dat ik net glasgerinkel hoorde.'

'Waarvandaan?'

'Verderop in het huis. Het leek uit de bibliotheek te komen. Misschien is Philippe gevallen.'

Jacques staat meteen op van tafel. Robert volgt hem op de voet. Samen lopen ze door de gang.

'Philippe, ben je daar?'

Er klinkt geen antwoord. De deur van de bibliotheek staat op een kier.

'Dat klopt niet', zegt Jacques gespannen. 'Ik weet zeker dat ik de deur achter me dichtgedaan heb. En Philippe komt nooit zomaar in de bibliotheek.'

Voorzichtig duwt hij de zware eiken deur open. Robert kijkt over de schouder van Jacques. Voor het bureau ligt Philippe op de grond. Hij bloedt uit een hoofdwond. Een van de ramen staat open. Glas ligt op de vloer.

Jacques loopt meteen naar Philippe en knielt bij hem neer.

'Philippe, Philippe, hoor je me?'

De butler kreunt en knippert met zijn ogen.

Robert loopt naar het raam. Het middelste ruitje is eruit getikt. Dat moet het glasgerinkel geweest zijn dat hij gehoord heeft. Had hij dat toen maar gezegd. Wat een domme fout, verwijt hij zichzelf. Hij trekt het raam verder open en bedenkt dat hij de vingerafdrukken nu vast verprutst heeft. Alweer dom!

Achter het raam is de tuin. Er is niemand te zien. De inbreker is ervandoor of houdt zich schuil. Met een ruk draait hij zich om en kijkt de bibliotheek rond. Er is hier nergens een plek waar iemand zich verstoppen kan. Hoewel? Hij kijkt langs de bureaustoel onder het bureau. Niemand, maar hij ziet wel dat een van de bureauladen een stukje openstaat.

'Jacques, in welke la heb je die foto's gedaan?'

'Links in de tweede la van boven. Help even mee Philippe in een stoel te zetten. Hij is weer bij.' Maar Robert trekt eerst de bureaula open. Leeg! De enveloppe ligt er niet meer in!

'De foto's zijn weg!'

'Wat!' roept Jacques geschrokken.

Philippe kreunt. 'Een man. Met een kous over zijn hoofd. Ik hoorde gerinkel. Toen ik ging kijken, stond er een vent over het bureau gebogen. Voor ik kon reageren sprong hij op me af en kreeg ik een klap ergens mee.'

Jacques buigt zich over de butler. 'Je hebt een snee in je voorhoofd, maar geen diepe. Het lijkt erger dan het is. Blijf even rustig zitten. Ik laat Herbert komen. Hier heb je een schone zakdoek. Houd die ertegen. Gaat het?' Philippe knikt.

Jacques pakt een mobieltje uit zijn zak. Hij belt zijn chauffeur die verderop in het park een woning heeft in een van de gebouwen voor de bedienden. Hij zegt hem onmiddellijk te komen. Dan beent hij naar het bureau en trekt de hele la eruit. Hij woelt met zijn vingers door de papieren. Even later heeft hij een paar biljetten van vijftig euro in de handen.

'Ik wist dat er geld in de la zat. Daar was de dief dus niet op uit. Het ging hem om de foto's.'

'Maar dat is onmogelijk', zegt Robert met gespreide handen. 'Niemand weet van die foto's. Niemand weet dat ik hier ben.'

'Blijkbaar wel dus. Iemand wist dat die foto's hier waren en ook waar. Ik ben het met je eens dat het bijna onmogelijk is, maar je ziet het met je eigen ogen. Aan wie heb je verteld dat je hierheen ging?'

'Aan niemand. Zelfs niet aan de hulpkoster. Ik heb alleen maar

gezegd dat ik er een paar dagen tussenuit ging.'
'En die fotograaf die de foto's ontwikkeld heeft? Hoeveel weet hij?'
'Alleen dat er oren op staan. En dat mijn vader de foto's genomen heeft.'
Jacques slaat zijn handen op de rug en ijsbeert heen en weer. Ineens steekt hij een vinger op.
'Als iemand van deze foto's weet, weet die persoon misschien ook van de negatieven en de kopieën in je huis. Waar heb je die?'
Robert schrikt. 'Ik heb ze niet verstopt. Alles zit nog in het sigarenkistje en dat heb ik tussen de boeken op de boekenplank in de kamer gelegd. Zal ik toch maar meteen naar huis gaan?'
'Dat kan sneller. Hebben je buren geen sleutel?'
'Nee, die zijn allemaal op vakantie. Maar er hangt een vogelhokje achter het huis, daar bewaar ik een reservesleutel.'
'Kun je niet iemand bellen of die even wil gaan kijken?'
In de gang klinken voetstappen. Herbert komt binnen.
'Wat is er aan de hand?' zegt hij geschrokken.
'Er is ingebroken. Philippe is neergeslagen, en de foto's die Robert me gebracht heeft zijn gestolen. Wil je eerst Philippe helpen en dan het terrein afzoeken?'
'Natuurlijk, meneer.'
Hij knielt bij Philippe neer en bekijkt de wond. 'Zal ik een dokter laten komen?'
'Welnee', antwoordt Philippe. 'Misschien vindt meneer het goed als ik mij even een uurtje terugtrek op mijn kamer. Dan gaat het vast wel weer.'
'Natuurlijk', antwoordt Jacques. 'Neem de rest van de avond maar vrij. Neem een borrel voor de schrik en ga vroeg slapen.'
'Dank u wel, meneer.' Een beetje onvast staat hij op.
'Herbert, loop even met hem mee.'
De chauffeur knikt. Binnen een minuut hebben de beide mannen de kamer verlaten.

'Heb je al iemand bedacht die niet op vakantie is?'

Robert knikt.

'Als ik die fotograaf nou eens bel? Hij woont jammer genoeg een eindje buiten Wapenveld, maar met de auto is hij er zo. Hij zou de sigarendoos mee naar huis kunnen nemen en meteen nieuwe afdrukken kunnen maken.'

'Dat is een heel goed idee. Bel hem meteen maar op. Hier op het bureau staat een telefoon.'

Steven heeft net zijn computer opgestart als de telefoon gaat. Hij schuift zijn stoel naar achteren en loopt naar de telefoon die op de bar ligt.

'Steven Simons.'

'Steven, je spreekt met meneer Dusseljee.'

Steven proeft de spanning in Dusseljees stem. 'Is je vader thuis?'

'Nee, hij maakt een bruidsreportage. Dat kan nog wel even duren.'

'En je moeder?'

'Die is aan het werk. Zij heeft geen vakantie meer.'

'Da's ook wat. Kun je je vader niet bereiken?'

'In geval van nood wel, maar pa heeft er een bloedhekel aan als hij gebeld wordt terwijl hij een fotoreportage maakt.'

'Ik snap het. Bij een bruiloft kun je ook niet zomaar weglopen.'

'Is er iets aan de hand? U klinkt zo opgewonden?'

Een ogenblik is het stil. Dan klinkt opnieuw de stem van Dusseljee.

'Ik weet eigenlijk niet goed of ik je dit moet vragen, maar ik weet zo gauw geen andere oplossing. Heb je tijd?'

'Jawel, wat kan ik voor u doen?' Hij zegt het zo laconiek mogelijk, maar intussen heeft hij een naar voorgevoel.

'Let op, Steven. Luister goed. Vanmorgen hebben jullie die foto's voor me ontwikkeld.'

'Ja, met die oren.'

'Precies. Ik dacht dat het waardeloze foto's waren, maar dat is niet zo. Ik weet nu dat die foto's heel belangrijk zijn. Ik heb geen tijd om uit te leggen waarom. Ik heb nadat ik bij jullie wegging, die baron gebeld over wie ik je verteld heb. Hij liet me meteen naar België komen.'

'Belt u uit België?'

'Ja, ik ben hier nog niet zo lang. Maar die foto's zijn gestolen. Er is een kans dat de dieven bij mij thuis in Wapenveld in zullen breken om de negatieven en wat papieren te stelen. Sterker nog, misschien hebben ze dat al gedaan.'

'Waarom belt u dan de politie niet?'

'Het is een geheim. Ik zou hun absoluut niet kunnen uitleggen waar het om gaat. Dat moet echt geheim blijven. Steven, kun je me alsjeblieft helpen? Rijd naar mijn huis. Kijk goed uit of je iets verdachts ziet. Als dat zo is, niet naar binnen gaan. Als er niks aan de hand is, ga dan voorzichtig naar de achtertuin. Daar vind je in het vogelhokje dat aan de garage hangt een sleutel. Ga naar binnen en kijk in de boekenkast. Daar zie je, als het goed is, een sigarenkistje. Daarin zitten de negatieven. Neem ze mee naar jullie huis, daar zijn ze veilig. Vraag je vader of hij zo snel mogelijk de foto's nog een keer wil afdrukken. Wil je dat doen, Steven?'

Steven aarzelt. Hij vindt het maar niks.

'Steven?'

'Eh, ja, dat moet maar.'

'Je ziet ertegen op?'

'Wel een beetje.'

'Je bent in vijf minuten weer buiten. Ik moet weten of dat sigarenkistje er nog is. Het is heel belangrijk voor me, anders vroeg ik het niet.'

'Goed. Ik ga meteen.'

'Bel je me zo gauw je iets weet? Heb je een papiertje bij de hand, dan geef ik je mijn nummer.'

Steven pakt het memoblokje dat altijd naast de telefoon ligt en noteert het nummer.

'Nou, zet hem op, jongen.'

'Ja', zegt Steven weinig enthousiast. Straks loopt hij die dieven tegen het lijf. Wie steelt er nou foto's van oren? Vast iemand die vreselijk gestoord is. Misschien zo'n geflipte tbs'er. Hij legt de telefoon neer en zucht diep.

'Bah, dat heb ik weer', bromt hij boos. Zal hij pa toch maar bellen? Heeft geen zin. Pa komt toch niet terug. Kirsten. Misschien wil Kirsten wel met hem mee. Ze is op haar kamer. Vlug holt hij naar de gang en roept in het trapgat naar boven. 'Kirsten!'

Er volgt geen antwoord. Ze zou toch niet weggegaan zijn? Ook dat nog. Vlug rent hij naar boven en trekt de deur van Kirstens kamer open.

Kirsten ligt op bed met een koptelefoon op een boek te lezen. Ze kijkt geschrokken naar de deur en rukt haar koptelefoon af.

'Kun je niet aankloppen? Ik schrik me lam!'

'Kirsten, je moet me helpen! Ik heb net een telefoontje van Dusseljee gehad. Hij zit in België. Hij is bang dat er bij hem thuis iets gestolen is en hij vroeg of ik wil gaan kijken.'

Kirsten schiet meteen overeind.

'Iets gestolen? Hoe bedoel je?'

'Dat vertel ik je onderweg wel. Ga alsjeblieft met me mee!'

HOOFDSTUK 5

Een geheimzinnig sigarenkistje

Kirsten wijst voor zich uit. 'Daar is Dusseljees huis.'
Ze houdt iets in. 'Volgens mij moeten we de fietsen bij de
kerk zetten en het laatste stukje lopen.'
'Maar kunnen we dan wel snel wegkomen?' Steven is er nog
steeds niet gerust op.
'Je kunt je dan juist sneller verstoppen dan wanneer je met een
fiets aan de hand loopt.'
'Ja, daar heb je ook wel weer gelijk in. Nou, vooruit maar.'
Ze zetten de fietsen bij de kerk in een rek. Dan lopen ze in de
richting van Dusseljees huis. Kirsten voorop. Steven kijkt voort-
durend om zich heen. Bijna nergens een auto te zien. Iedereen
is op vakantie natuurlijk. Bij Dusseljees huis staat wel een auto.
Steven herkent de Golf. Zou de koster met de trein naar België
gegaan zijn? Verder is er bij het huis niets verdachts te zien.
Maar dat zegt niets.
Even later staan ze voor het tuinpad.
'Waar ligt die sleutel?'
'Achter het huis in een vogelhuisje.'
'Kom mee dan.'
'Ben je niet bang?'
'Neuh. Er is hier toch niemand? We pakken dat kistje en gaan
meteen weer naar huis.'
Goed dat hij Kirsten meegenomen heeft. Hij merkt aan haar dat
ze ook best gespannen is, maar zij verbergt het beter. Hij wilde
dat hij dat ook kon. Kirsten bluft zich altijd overal doorheen, ter-
wijl hij bij het minste of geringste loopt te nagelbijten van de

spanning. Wat is hij eigenlijk voor een vent? Hij knijpt zijn handen tot vuisten en loopt achter Kirsten aan. Intussen kijkt hij naar de huizen van de buren. Stel dat er één thuis is. Maar dat kan bijna niet, want dan had Dusseljee die wel gebeld om te gaan kijken. Dusseljee heeft een vrijstaande woning waar je gemakkelijk omheen kunt lopen. Achter is een tuin met hoge bomen. Aan de garage hangt een nestkastje.

'Zou hij dat bedoelen?'

Kirsten loopt ernaartoe. Er zit een haakje aan waarmee je de voorkant open kun maken. Ze wipt het haakje los en opent het deurtje. Meteen ziet ze de sleutel. Er zit een sleutelhanger aan.

'Ik heb hem. Ga je mee?'

Ze loopt naar de achterdeur. Steven voelt de zenuwen in zijn keel, maar hij probeert zo cool mogelijk te doen. Kirsten draait de deur van het slot. Zonder geluid gaat de deur open. Kirsten stapt naar binnen. Steven gaat achter haar aan. Als hij binnen is voelt hij zich even iets veiliger. Hier kan niemand hen zien. Hij trekt de deur gauw achter zich dicht. Ze staan in de bijkeuken. Voorzichtig opent Kirsten de deur naar de keuken. Steven kijkt over haar schouder mee. Recht voor hen is een bar met daarachter een kookeiland. Kirsten loopt om de bar heen naar het zitgedeelte.

'Wat een mooie kamer heeft hij, hè. Wow!' Ze laat zich in een designstoel ploffen.

'Daar zijn we hier niet voor', schrikt Steven. 'Doe niet zo belachelijk.'

Hij stapt ook langs de bar en kijkt onwillekeurig uit het zijraam. Zijn hart slaat een slag over van schrik. Er rijdt een auto Dusseljees oprit op. Een zilvergrijze Mercedes.

'Nee zeg, er komt iemand aan. Snel wegwezen!'

Kirsten springt uit de stoel overeind en rent naar de bar. Ze ziet de wagen.

'Te laat! Als we naar buiten gaan zien ze ons. We moeten ons verstoppen!'

'Maar waar dan?' Steven merkt dat zijn stem piept.

'Hier achter de bar.'

Steven duikt erachter en kruipt in het verste hoekje. Hij slaat de handen om zijn hoofd. Hij kijkt naar zijn zus. Ze zit op haar hurken en kijkt om de rand van de bar.

'Er stappen twee kerels uit', fluistert ze. 'Ze komen langs het huis. Straks lopen ze hier langs het glas. Kom achter dit kookeiland, anders zien ze ons misschien.'

Steven schuift over de vloer. Op hetzelfde ogenblik ziet hij ze. Twee mannen. Keurige pakken aan. Hij drukt zich tegen het kookeiland, maar kan het toch niet laten om te kijken. Een van de mannen heeft een zwartleren tas in de hand. Wat zou daarin zitten? De mannen zien er helemaal niet uit als inbrekers. Ze dragen elk een pak in een andere kleur, maar beiden hebben een speldje op de revers. Doordat de tochtstrip openstaat, zijn hun stemmen duidelijk te horen.

'Zie jij dat vogelhuisje?' hoort hij een van de kerels zeggen. Hoe weten die lui dat?

'Dat ding daar aan de muur zal het wel zijn.'

Even is het stil.

'Er zit niks in.'

'Maakt niet uit. Kom maar, ik tik wel een ruitje in. Krijg nou wat! De deur is niet op slot. Die gast is slordig.'

'Nee, joh, dit is zo'n boerenkoolgat. Hier kun je nog op vakantie gaan zonder je huis af te sluiten.'

'Dat geloof ik niet. Maar het komt wel goed uit.'

Steven hoort dat de mannen naar binnen komen. Hij voelt zich misselijk worden. Wat moet hij zeggen als ze ontdekt worden? Hij durft nauwelijks adem te halen. Naast hem zit Kirsten. Haar ogen staan wijd open. Ze zit met haar rug stijf tegen de bar. De kamerdeur gaat open. Voetstappen klinken aan de andere kant van de bar.

Boven hun hoofd klinkt een plof.

Steven schreeuwt het bijna uit van schrik. Hij ziet dat Kirsten schokt.

'Er moet een sigarenkistje in een boekenkast liggen.'

'Heeft Jan ook gezegd wat erin zit?'

'Nee, niet precies. maar zoveel sigarenkistjes zullen er niet liggen. Als we hem hebben bel ik hem wel even.'

Voetstappen gaan in de richting van de woonkamer.

'Daar ligt hij al.'

Steven hoort wat gerommel.

'Er zitten negatieven in en wat papieren. Volgens mij is dit wat Jan bedoelde.'

'Oké, laten we opschieten. Dat inbreekgedoe is niks voor mij. Als we gesnapt worden, heb ik heel wat uit te leggen.'

'Goed. Ik stop het kistje in de tas op de bar. Ga jij boven kijken of daar nog meer boekenkasten zijn. Ik wil zeker weten dat we het goede doosje meenemen. Ik bel intussen Jan op.'

De kamerdeur gaat open. Voetstappen op de trap. Gerommel op de bar, dan voetstappen in de richting van de kamer.

'Hij gaat in de kamer staan bellen', fluistert Kirsten bijna onhoorbaar. 'Ze jatten dat kistje.'

Steven knikt alleen maar. 'Niks aan te doen. Als ze ons maar niet ontdekken.'

'Maar het ligt hier vlak boven ons hoofd. In een tas.'

'Ja, pech gehad. Niet aankomen.'

Hij kijkt langs het kookeiland. De man is niet te zien.

Kirsten gaat op haar hurken zitten. Ze opent een van de keukenkastjes. Steven schudt zijn hoofd. 'Niet doen.'

Kisten gluurt in het kastje. Steven ziet dat haar ogen heen en weer flitsen. Voorzichtig haalt ze er een broodtrommeltje uit. Onhoorbaar komt ze overeind. Steven knijpt zijn ogen dicht. Ze is gek. Knettergek. Hij wil haar wel naar beneden trekken maar zelfs dat durft hij niet. Als hij zijn ogen opendoet, zit Kirsten naast hem. Ze trilt. In haar handen klemt ze het sigarenkistje.

48

Ze heeft de ogen stijf dichtgeklemd. Alsof ze bidt. Misschien doet ze dat ook wel.

Voetstappen klinken op het parket en stampen langs de bar.

'Kom maar naar beneden. Dit is het kistje dat we moeten hebben.'

Meteen klinken voetstappen die haastig de trap afkomen.

'Boven is niks. Kom op, wegwezen.'

Voetstappen langs de bar. Een slaande deur. Ze zijn weg. Steven durft niet te bewegen. Naast hem zit Kirsten. Nog steeds met de ogen dicht. Stijf als een plank. Buiten slaat een motor aan. De Mercedes rijdt weg.

'Zijn ze weg?' fluistert Kirsten. 'Zijn ze echt weg?'

'Volgens mij wel.'

'Ga kijken. Ik durf niks meer. Ik zit helemaal te shaken. Ik, ik ...'

Steven komt voorzichtig overeind. Hij kijkt door de zijruit. De grijze wagen is verdwenen.

'Ze zijn weg. Kom gauw. Voor ze ontdekken dat ze het kistje niet meer hebben. Dan komen ze vast terug.'

Kirsten knikt. Ze komt meteen overeind. Door de bijkeuken glippen ze naar buiten.

'Waar heb je de sleutel?' vraagt Steven. 'Het huis moet weer op slot.'

Kirsten haalt de sleutel uit haar zak. 'Ik ga vast naar de fietsen', zegt ze.

Steven zou het liefst meteen meehollen. Maar de deur moet op slot. Vlug sluit hij de deur af. De sleutel terugleggen in het hokje. Nee, die kerels wisten ervan. Hij kan hem beter meenemen. Vlug steekt hij de sleutel in zijn achterzak en holt om het huis heen. Kirsten is al bijna bij de fietsen. Snel rent hij naar haar toe. Kirsten stopt het kistje in de fietstas. Dan draait ze zich om en klemt zich aan Steven vast.

'Als jij er niet bij was geweest, had ik het nooit gedurfd.'

Steven drukt haar tegen zich aan. Dat had hij nooit verwacht.

'Maar ik deed helemaal niets. Je had niks aan me.' Hij snuift. 'Ik was alleen maar bang. Bah.'

Ze kijkt naar hem op. 'Da's toch logisch. Ken je iemand die niet bang geweest zou zijn?'

'Nee, daar heb je gelijk in. Ga je mee?'

Ineens kijkt Kirsten hem met grote ogen aan.

'Die kerels wisten alles. Zouden ze ook weten waar wij wonen?'

Steven slikt. Daar had hij nog helemaal niet aan gedacht.

'Thuis bellen we pa meteen op. Hij moet naar huis komen. Bruiloft of geen bruiloft.'

Kirsten kijkt op haar horloge. ''t Is al laat, best kans dat hij al thuis is.'

Ze stappen op de fiets en rijden de straat uit. Steven kijkt achterom naar het huis van Dusseljee. Geen spoor meer van de grijze Mercedes.

'Volgens mij hebben ze nog niet ontdekt dat ze het kistje niet meer hebben', zegt hij. 'Als ze niet in hun tas kijken komen ze er waarschijnlijk thuis pas achter.'

'Laten wij maar maken dat we thuiskomen', zegt Kirsten gehaast. 'Kom, opschieten.'

In een flink tempo fietsen ze Wapenveld door. In elke straat lijken ze een grijze Mercedes te zien. Ook als ze het dorp uit fietsen voelen ze zich op de hooggelegen dijkweg heel kwetsbaar. Maar zonder reden. Er komt geen Mercedes en ze zien ook geen mannen in pakken.

Steven voelt de spanning pas wat uit zich wegzakken als hij in de verte vaders auto op het erf ziet staan.

'Pa is thuis!' roept Kirsten. 'Gelukkig.'

Nog harder trappen ze om maar thuis te komen. Ze zetten hun fietsen tegen het huis en hollen naar binnen. Steven neemt het kistje mee.

In de kamer springt pa op uit zijn stoel. Zijn gezicht staat boos.

'Waar hebben jullie gezeten?'

Kirsten vliegt hem spontaan om de nek.

'Het was zo eng!'

Vaders toon verandert meteen. 'Wat is er gebeurd?'

'Dusseljee heeft gebeld', zegt Steven terwijl hij gaat zitten. 'Het gaat over die foto's.'

'Wat is daar dan mee?'

'Die foto's waren wel belangrijk. Hij is naar Brussel gegaan om ze naar die baron te brengen. Daar zijn de foto's gestolen. Hij vroeg aan ons of we bij hem thuis wilden kijken of de negatieven daar nog lagen.'

'En toen kwamen die kerels!' roept Kirsten.

'Welke kerels? Ga even zitten. Kalm aan. Vertel rustig wat er is gebeurd.'

Kirsten laat vader los en gaat zitten. Steven begint te vertellen. Van het telefoongesprek. Van de sleutel in het vogelhokje en de mannen in pakken, en hoe Kirsten het sigarenkistje verwisseld heeft met een broodtrommel.

'Die kerels wisten alles precies. Waar de sleutel lag en waar het kistje stond', zegt Steven.

'Misschien weten ze ook wel dat wij het nu hebben. Straks komen ze hier nog heen!' zegt Kirsten.

Vader schudt zijn hoofd. 'Dat kunnen ze haast niet weten.' Maar zijn stem klinkt niet overtuigend genoeg. 'Die Robert heeft ons mooi in de problemen gebracht. Heeft hij je een nummer gegeven?'

'Ja', antwoordt Steven. 'We moesten hem bellen zo gauw we meer wisten over het sigarenkistje.' Hij voelt in het borstzakje van zijn shirt naar het gele memoblaadje en geeft het aan pa.

Vader pakt de telefoon. 'Nou Robert, je hebt wat uit te leggen.'

Als de telefoon nog maar een keer overgegaan is, wordt hij opgenomen.

'Dusseljee', klinkt er door de kamer.

Vader heeft de meeluisterfunctie aangezet.

'Ton Simons hier.'

'Goed dat je belt. Is Steven bij me thuis geweest?'

'Ja, dat kun je wel zeggen. Ik heb hier twee doodsbange kinderen tegenover me zitten.'

'Wat is er gebeurd?'

'Toen ze in je huis waren, stopte er een grijze Mercedes naast het huis. Er stapten twee kerels uit. Steven en Kirsten hebben zich achter je bar verstopt. Die kerels wisten van de sleutel, en ze wisten ook waar ze zoeken moesten.'

'Hebben ze het sigarenkistje meegenomen?'

'Nee. Kirsten heeft het te pakken gekregen. Ik heb het nu hier.'

'O, gelukkig.'

'Ja, jij hebt makkelijk praten. Die kerels ontdekken zo meteen dat ze bij de neus genomen zijn. Straks heb ik ze hier op het erf. Ik ga de politie bellen.'

'Wacht nog even. Die foto's wijzen mogelijk de weg naar een verborgen schat. Mijn vader heeft die schat in het verleden gevonden en toen de foto's gemaakt. Ze moeten een reden gehad hebben waarom ze die ontdekking niet openbaar gemaakt hebben. Ik wil niet dat de politie zich ermee gaat bemoeien.'

'Dat kan wel zijn. Maar ik wil niet dat die kerels zich met mij gaan bemoeien. Ik wil van dat sigarenkistje af.'

Even is het stil.

'Hoe veilig ben je daar? Stel dat die mannen komen?'

Ton denkt even na. 'Ik heb een alarm op het huis, anders kon ik mijn fotoapparatuur niet verzekeren. Onze buurman is boer, ik kan hem vragen of hij vannacht de hond buiten wil laten. Esther heeft nachtdienst. Die kan ik bellen dat ze bij haar moeder in Zwolle gaat slapen. Maar dit wil ik allemaal niet.'

'Ik snap het. Wacht, ik overleg hier even. Ik bel je binnen tien minuten terug.'

HOOFDSTUK 6

Belletjes uit Brussel

Precies zeven minuten later gaat de telefoon. Vader neemt op. 'Ton.'

'Hoi, Robert. Ik heb een idee. Mijn vriend baron Jacques Vandermole wil jullie laten weten dat hij het heel erg betreurt dat jullie in deze situatie terecht zijn gekomen.'

'Ja, daar heb ik niks aan. Kom liever met je idee.'

'Nou, het is eigenlijk Jacques' idee. Maar kun je eerst precies beschrijven hoe die mannen eruitzagen. Misschien krijgen we dan een idee wie het zouden kunnen zijn.'

Vader houdt zijn hand over de hoorn. 'Wie van jullie heeft die kerels het best gezien?'

Kirsten wijst op zichzelf.

'Kun jij Dusseljee zo goed mogelijk vertellen hoe die mannen eruitzien?'

Kirsten komt uit haar stoel en neemt de telefoon over.

'Ze reden in een grijze Mercedes. Die stond zo dat je het nummer niet kon lezen. Er stapten twee mannen uit. Ze hadden allebei een net pak aan. Ze zagen er helemaal niet uit als criminelen. Meer als bankdirecteuren of zoiets. De oudste schat ik op een jaar of vijftig. Hij had haar dat al wat grijs begon te worden en een kale plek boven op zijn hoofd. Hij was iets kleiner dan u, en dikker ook. Hij had een buikje. De ander was een jaar of tien jonger, schat ik. Hij had donkerbruin haar en hij was vrij mager.'

'Oké. Vrij onopvallende figuren dus. Hadden ze nog iets bijzonders waaraan we ze misschien zouden kunnen herkennen?'

Kirsten kijkt naar Steven. 'Hadden ze nog iets bijzonders? Iets opvallends?'

Steven wijst op zijn borst. 'Die speldjes.'

Kirsten knikt. 'Ze hadden allebei een speldje op de revers van hun pak.'

'Een speldje? Hoe zag dat eruit?'

'Dat weet ik niet precies. Een soort driehoekjes. Ik heb zoiets nog nooit eerder gezien.'

'Zou je zo'n speldje herkennen als je er een zag?'

'Misschien wel.'

'Goed, bedankt. Mag ik je vader nog even?'

Kirsten geeft de hoorn terug aan pa.

'Nou, Robert, kom maar eens met je goeie ideeën.'

'Goed, moet je horen. Het is nog niet zo heel erg laat. Zou jij van de negatieven een nieuw setje foto's kunnen maken?'

'Jawel, en kom jij die dan halen?'

'Jacques heeft een ander voorstel. Er is namelijk wel de nodige haast geboden. De dieven zullen misschien al op zoek zijn naar de schat. Hoe eerder wij hen op de hielen zitten hoe beter het is. Ga naar bed als de foto's klaar zijn. Rijd om halfzes weg, dan kun je rond negen uur in Brussel zijn. Ik sta op je te wachten bij het Atomium. Je weet wel, dat ingewikkelde bouwwerk met die ballen. Koop een kaartje en ga met de lift naar de bovenste kogel. Daar wacht ik op jullie. Vanuit die kogel kan ik jullie aan zien komen. Om negen uur is het nog rustig. Je kunt je auto recht voor het Atomium gratis parkeren.'

'En waarom zou ik dat doen?'

'Jacques betaalt je er twee maandsalarissen voor. Zie dat maar als vakantiegeld om het weer een beetje goed te maken. Bovendien regelt hij een luxe hotel voor je. Zo gauw je mij het kistje gegeven hebt, lopen jullie geen gevaar meer. Geniet een paar dagen van Brussel.'

Vader aarzelt even.

'Weet je hoe dit voelt, Robert? Of ik word omgekocht.'

'Alsjeblieft, Ton. Dit is voor mij heel belangrijk. Ik heb mijn vader nooit goed gekend. Misschien ... misschien leer ik hem hierdoor beter begrijpen.'

'Dat snap ik niet. Hoe kun je je vader beter leren kennen door foto's van oren? Sorry hoor, maar dat kan ik even niet volgen.'

'Die foto's, maar meer nog de kopieën die in het kistje zitten, wijzen de weg naar een schat. Onze vaders hebben die schat ontdekt. Maar ze hebben die schat laten liggen. Daar moeten ze een dringende reden voor hebben gehad. Mijn vader had beloofd de foto's en de kopieën te vernietigen. Dat heeft hij niet gedaan. Waarom niet? Dat wil ik graag weten. Snap je dat dit project eerst geheim moet blijven? Geen politie. Ton, alsjeblieft.'

Steven ziet pa aarzelen. Hij snuift.

'Nou, vooruit. Ik regel hier het een en ander. Ik zie je morgen in het Atomium.'

Vader drukt de telefoon uit.

'Gaan wij mee naar België?' wil Kirsten weten.

'Ik laat jullie hier niet alleen. Als we dat sigarenkistje kwijt zijn, gaan we het er eens lekker van nemen in Brussel. Ik ben er wel eens geweest. Je hebt er een schitterende markt en vergeet Manneken Pis niet.'

Steven kijkt hem eens aan. Meent hij dat nou, of probeert hij alleen maar hen hun angst te laten vergeten?

Vader tikt een nummer in op de telefoon. 'Even mama bellen. Ze zal wel raar opkijken.'

Ma heeft nachtdienst en dan is ze vaak niet zo druk. Pa heeft haar vrijwel meteen aan de lijn. Hij legt uit wat er gebeurd is en dat ze beter een dag naar haar moeder kan gaan voor alle zekerheid.

'Waarom hij die foto's zelf niet op komt halen? Ja, dat vind ik ook vreemd. Misschien zijn ze bang dat we de foto's aan de verkeerde meegeven. Robert is de enige die we kennen. Ik kan me voorstellen dat hij vannacht niet nog een keer de rit van Brussel naar ons en weer terug wil maken. Hem kennende is hij van de enkele reis al geradbraakt. En om heel eerlijk te zijn: twee maandsalarissen en een verblijf in Brussel. Dat lokt mij wel. Kun je geen vrij krijgen?'

...

'Oké, ik snap het. Vind je het niet erg?'

...

'Bedankt. Natuurlijk zijn we voorzichtig. We zitten nu eenmaal in het schuitje. Morgenvroeg ben ik het spul kwijt. Ik bel als we van huis vertrekken en als we in Brussel aankomen. Houd je mobiel stand-by. We houden je wel op de hoogte.'

...

'Ja, dag lieverd.'
'Wat zei ma allemaal?'
'Nou, dat kun je wel raden. Ze maakt zich zorgen.'
'Daar had ik nog niet eens aan gedacht', zegt Steven. 'Waarom haalt Dusseljee die foto's zelf niet? Of waarom stuurt die baron hier niet iemand langs?'
Vader haalt zijn schouders op.
'Ik wil hem wel bellen. Maar dan staat hier midden in de nacht iemand op de stoep. En eigenlijk ben ik ook wel benieuwd hoe het verder gaat. Of zie je ertegen op om naar Brussel te gaan?'
'Nee, helemaal niet. Het lijkt me wel leuk.'
Hij hoort het zichzelf zeggen. Meent hij dat nou? Met pa erbij lijkt alles een stuk minder eng. Pa is niet bang voor keurige heren in nette pakken.
'Wat zeg jij ervan, Kirsten? Wil je mee naar Brussel of moet ik Dusseljee bellen dat ze de foto's hier maar af komen halen?'
Kirsten heeft haar quasi-onverschillige houding teruggevonden.
'Wat mij betreft gaan we naar Brussel. Als we eerst deze nacht maar doorkomen.'
'Daar heb je helemaal gelijk in. Laten we onze voorzorgsmaatre-

gelen nemen. Kirsten, als jij eens naar de buren loopt. Vertel wat er aan de hand is en vraag of ze de hond loslaten. Kastor lust die mooie meneertjes rauw. Daarna pak je een verrekijker en ga je in de serre zitten. Vandaaruit kun je de dijk in de gaten houden. Steven, wij gaan die foto's opnieuw afdrukken.'

'Moet ik de doka weer klaarmaken?'

'Alles staat er nog. Ik heb geen tijd gehad om het op te ruimen omdat ik die bruiloft had.'

Ruim een uur later komen de foto's uit de lawaaierige droogmachine. Deze keer konden ze veel sneller werken. Alles stond nog klaar en ze hoefden ook geen proefopname te maken. Steven kijkt nog eens naar de foto's. Hij kan zich niet voorstellen dat deze vage plaatjes de weg naar een schat kunnen wijzen. Een schat? Wat zou het eigenlijk voor een schat zijn?

'Pak die kopieën eens', vraagt pa alsof hij zijn gedachten kan raden. Steven pakt de kopieën uit het kistje en vouwt ze open. Hij legt ze voor vader op het bureau recht onder de lamp.

'Wat zou dit eigenlijk zijn?'

Pa strijkt de kopieën goed glad en gaat er eens voor zitten. Vier kopieën. Zo te zien gemaakt van iets wat oorspronkelijk op perkament geschreven werd. Allebei pakken ze een kopie.

'Dit is volgens mij geen Latijn', zegt Steven.

Vader schudt het hoofd. 'Oudnederlands is het ook niet.'

''t Lijkt wel Frans. Maar anders dan ik op school krijg.'

'Hier zie je een woord dat steeds terugkomt, dat is omcirkeld. Chevaliers en hier: sanc. Is dat geen bloed? Weet je wat ik denk? Ze wilden het originele document niet beschadigen, dus maakten ze er kopieën van. Daarop konden ze naar hartenlust krassen en strepen, en dat hebben ze gedaan.'

Steven vindt het maar lastig.

''t Zijn van die oude, blauwige kopieën. Ze zijn helemaal onduidelijk geworden.'

'Maar daar is wel iets aan te doen.'

Vader staat op en pakt zijn beste fototoestel. Hij zoomt in op de kopie en drukt een paar keer af. 'Schuif die andere ook eens onder de lamp.'

Steven legt de kopieën een voor een in het lamplicht. Vader maakt zijn foto's.

Als hij klaar is, haalt hij de geheugenkaart uit zijn toestel en steekt die in de kaartlezer van de computer. Een paar muisbewegingen en de kopieën van het document verschijnen in beeld. Vader transporteert de afbeelding in een programma waarmee hij de foto kan bewerken. Steven weet dat pa een meester is in het bewerken van foto's. Het verbaast hem dan ook niets dat hij de afbeelding onder zijn ogen duidelijker ziet worden. De woorden worden duidelijk leesbaar, en de aantekeningen erbij zien er weer uit alsof ze pas geschreven zijn. Steven ziet dat delen in de tekst onderstreept zijn. Ernaast staan zinnen die wel een vertaling zullen zijn.

In de tekst staat het zinnetje *combatans tot seuls*. Er staat een pijl naar de kantlijn. Daar staat 'strijder die helemaal alleen is, eenzame strijder'.

Er staat een pijl van *sanc* naar het woord 'bloed'.

La tere dessus en als rougiant met een pijl 'de aarde eronder kleurt daardoor rood'. Een behoorlijk bloederig verhaal zo te zien.

'Zet de printer eens aan', vraagt pa.

Steven drukt op de knop. Even later rollen de prints uit de computer. Steven legt ze naast de originelen. Dag en nacht verschil.

Steven vouwt de blauwige kopieën op en wil ze terugleggen in het kistje. Dan ziet hij dat er nog een vel papier in zit. Hij haalt het eruit en vouwt het open. Er staat tekst op. Het lijken wel gedichtjes. Hij laat ze vader zien. Die kijkt er even vluchtig naar.

'Leg maar neer, dan maak ik er een foto van.'

Steven vouwt het blad open en strijkt het glad. Vader maakt een paar foto's.

''t Is mooi geweest', zegt hij. 'We gaan naar bed. Morgen is het weer vroeg dag. Wat er in het kistje zit, gaat ons niet aan. Misschien hebben we al te veel gezien. Dit is verder Roberts pakkie-an.'

Steven knikt. Samen lopen ze naar de serre. Kirsten zit op de bank. Ze leest een stripboek. De kijker ligt naast haar. Ze legt de strip neer.

'Ik heb steeds gekeken, hoor. Er is de hele avond niemand over de dijk gereden. Ik heb alleen Kastor gezien, die scharrelt af en toe wat over het erf.'

'Nou, dan kan ons niks gebeuren', zegt pa. 'We gaan naar bed, jongelui. Vijf uur op, halfzes rijden. Ik bel ma nog even voor een update.'

'Ik heb net al een sms'je gestuurd', zegt Kirsten.

'Wat heb je erin gezet?'

'Dat ze zich geen zorgen hoeft te maken.'

'En wat sms'te ze terug?'

'Dat ze zich geen zorgen maakte.'

Kirsten glimlacht. 'We kunnen best aardig liegen zo onder elkaar.'

Steven gaat naar zijn kamer. Zijn raam kijkt uit over de dijk. Het begint al donker te worden. De dijk en de uiterwaard liggen er verlaten bij. Zouden die kerels weten dat zij de negatieven hebben? Vast niet, anders waren ze er al lang geweest. Hoewel, ze kunnen natuurlijk ook wachten tot het donker is. In de gang beneden klinkt de blikkerige stem van het alarm. Uitgeschakeld, klaar om in te schakelen. Volledige inschakeling, verlaat het pand, gevolgd door een minuut gepiep. Dan is het alarm actief. Op het pad tussen hen en de buren loopt Kastor. Een lieve hond, maar van een inbreker maakt hij gehakt. Ze zijn hier absoluut veilig, maar toch is hij er niet echt gerust op. Als hij in bed ligt en het licht uitdoet ligt hij nog lang in het donker te staren. Af en toe lijkt het of de gordijnen bewegen.

Met een ruk schiet hij overeind als hij een hand op zijn schouder voelt. Wild kijkt hij om zich heen.

'Hé, kalm zeg, ik ben het maar', klinkt de stem van vader. ''t Is vijf uur geweest. Kleed je je aan? Ik heb al broodjes gesmeerd. Ik wil om halfzes op weg zijn.'

Steven wrijft in zijn ogen. Verbaasd kijkt hij naar de wekkerradio op het nachtkastje naast hem. Hij dacht dat hij nog wakker was. Toch is hij blijkbaar in slaap gevallen. Kreunend smijt hij zijn dekbed van zich af. Pa is al weg. Steven hoort dat hij Kirsten wakker maakt. In de badkamer wast hij de slaap uit zijn ogen. Dan gaat hij terug naar zijn kamer, pakt een schoon shirt uit de kast en kleedt zich verder aan.

'Neem wat schone kleren en ondergoed mee', klinkt vaders stem onder aan de trap. 'En je tandenborstel. Ik heb een koffer in de gang klaarstaan. We hebben aan een koffer wel genoeg, denk ik. We gaan hooguit een paar dagen.'

Steven zoekt wat spullen bij elkaar en neemt ze mee naar beneden. In de keuken pakt hij een plastic tas en doet zijn spullen daarin. Dan brengt hij hem naar de grote reiskoffer in de gang. Kirsten komt de trap af en gooit haar spullen op een hoop in de koffer. Ze kijkt nog duffer uit haar ogen dan hij.

'Vijf uur, wat een tijd', zegt ze op een moppertoontje.

'In de auto kun je verder slapen als je dat wilt', zegt pa die net de keuken uit komt. 'Ik heb hier broodjes voor onderweg. Kom, we gaan. Hoe eerder we die zooi kwijt zijn, hoe beter het is.'

Hij klapt de koffer dicht. 'Zet jij die in de auto? Ik pak het sigarenkistje even en mijn fototas.'

Steven pakt de koffer van de grond. Samen met Kirsten loopt hij naar de achterdeur. Hij kan het niet laten om naar alle kanten te kijken voor hij naar de auto loopt. Kastor komt om de hoek. Kwispelstaartend komt het dier naar hen toe.

'En heb je nog iemand te grazen genomen vannacht?' vraagt Kirsten.

'Waf', antwoordt Kastor.

'Zou dat ja of nee betekenen?'

'Als hij iemand te pakken had, dan liep hij nu wel met een mouw van een pak in zijn bek', meent Steven.

'Dan hebben ze ons dus mooi niet gevonden', zegt Kirsten.

'Nee, en als ze niet weten wie wij zijn en waar wij wonen, dan krijgen we onderweg ook geen last met hen. Bij het Atomium geven we het kistje aan Dusseljee en dan zijn we er mooi van af.'

Achter hen trekt pa de deur dicht. Zijn fototas hangt aan een band over zijn schouder. Hij drukt op de afstandsbediening van het alarm. Daarna legt hij hem op de balk boven in de garage, zodat ma binnen kan komen. Hij loopt naar de auto en ontsluit de deuren. Steven legt de koffer in de kofferbak.

'Wil jij voor- of achterin?'

'Laat mij maar op de achterbank', antwoordt Kirsten. 'Misschien lukt het me nog om even te slapen.'

Steven gaat voorin naast vader zitten. Als ze over de dijk rijden, betrapt hij zichzelf erop dat hij nog steeds uitkijkt naar een grijze Mercedes. Maar van de wagen en de mannen is geen spoor. Langzaam voelt hij de spanning van zich afglijden. De angstige momenten gisteren achter de bar beginnen zelfs op een spannend avontuur te lijken. Wie maakt ooit zoiets mee? Twee inbrekers te slim af zijn? Wat een lef van Kirsten trouwens. Dat had hij waarschijnlijk nooit gedurfd. Als die kerels nog een keer in hun tas gekeken hadden, dan waren ze er gloeiend bij geweest. Hij kijkt over zijn schouder. Kirsten ligt met opgetrokken benen op de achterbank. Het lijkt of ze alweer slaapt. Bij Wezep draait vader de snelweg op. Het is vroeg en vakantietijd, dus is er weinig verkeer op de weg. Pa kan flink doortrekken. De tomtom geeft aan dat ze ruim voor negenen bij het Atomium zullen zijn. Het lijkt hem leuk om dat rare gebouw eens in het echt te zien.

Zonder oponthoud rijden ze om Utrecht heen, dan in de richting van Breda. Antwerpen laten ze links liggen. Als ze nog ruim een halfuur moeten, tingelt vaders mobiel.
'Daar zul je Robert hebben.'
Pa verzit en vist de mobiel uit zijn zak en geeft hem aan Steven.
'Neem jij hem even aan. Ik moet op het verkeer letten.'
Steven drukt de groene knop in.
'Steven Simons.'
'Goedemorgen, bent u die fotograaf?'
Steven schrikt. Dat is Dusseljee niet.

HOOFDSTUK 7

Confrontatie op de Koekelberg

'Het is Dusseljee niet', fluistert Steven in vaders richting. 'Nee. Ik ben de zoon van de fotograaf. Maar met wie spreek ik eigenlijk?'

'Je spreekt met Jacques Vandermole. Is je vader in de buurt?'

'Hij zit naast me, maar hij rijdt. Bent u de baron over wie meneer Dusseljee verteld heeft?'

'Dat klopt.'

'Kan ik de boodschap aannemen of wilt u dat mijn vader de auto langs de kant van de weg zet?'

Even is het stil.

'Waar zijn jullie nu ongeveer?'

'Als we niet in een file rijden kunnen we over ongeveer een half-uur bij het Atomium zijn.'

'Dus jullie zijn er al bijna? Dan is het goed dat ik bel. Mijn vriend Robert Dusseljee is al op weg naar het Atomium. Maar ik zit hier net nog even met mijn chauffeur te praten. Het Atomium is toch niet zo'n goede plek om de foto's te overhandigen. Jullie hebben ze toch wel bij je?'

'Ja, hoor. Nieuwe afdrukken, de negatieven en de kopieën, zoals u gevraagd had', zegt Steven nadrukkelijk. Laat die man maar weten dat hij waar voor zijn geld krijgt.

'Mooi zo. Roberts idee was naar het Atomium te gaan. Hij wacht op jullie in de bovenste kogel omdat hij jullie dan ziet aanko-men. Goed bedacht, maar misschien weten de mannen die ingebroken hebben dat ook. Vanuit die kogel kun je nergens heen, en het is er druk. Ik heb een betere plek uitgekozen. Stel je tomtom even anders in en rijd naar de Basiliek van het Heilig Hart op de Koekelberg. Dat is een enorme kerk die je gewoon niet kunt missen. Ik stuur mijn chauffeur ernaartoe. Je komt de kerk binnen via een zij-ingang aan de zuidkant. Als je recht oversteekt, kom je aan de noordkant bij de bidkapellen. Het zijn er vijf op een rij, allemaal met glazen deuren. In de tweede van links staat een houten beeld van pater Damiaan. In die kapel zul je een man aantreffen, gekleed in een wit pak. Hij zit geknield op een bidstoel voor het altaar. Vraag hem of dat het beeld van pater Damiaan is. Als de man dan antwoordt: "Nee, dit is een beeld van de heilige Franciscus", dan weet je dat je met de juiste persoon spreekt. Geef de foto's en de andere zaken aan hem. Ik neem intussen contact op met Dusseljee. Hij heeft het geld voor je vader bij zich en de gegevens over jullie hotel. Misschien tref je hem nog van tevoren, maar waarschijnlijk zijn jullie eerder in de basiliek. Blijf daar gewoon op hem wachten als mijn chauffeur vertrokken is. Kun je dit allemaal onthouden?'

Steven kijkt opzij naar vader. Hij ziet dat pa meeluistert.

'We moeten naar de basiliek op de Koekelberg rijden en de foto's geven aan een man in een wit pak die in de tweede bidkapel bij het beeld van pater Damiaan zit. We kunnen hem herkennen omdat hij een verkeerde naam voor dat beeld heeft. Dusseljee komt naar ons toe.'

Steven ziet dat pa verbaasd naar hem kijkt.

'Klopt helemaal', klinkt de stem van de baron.

Pa wenkt met zijn hand dat Steven de telefoon aan hem moet geven. Steven geeft vlug de telefoon aan zijn vader.

'Hallo, wie is daar? Wat heeft dit nu weer te betekenen? Hallo. Bah. Opgehangen. Wie was dat?'

'Dat was de baron. We moeten niet naar het Atomium. Het is daar te druk. We moeten naar de basiliek op de Koekelberg. Daar moeten we de foto's aan zijn chauffeur geven.'

Vader trekt met zijn neus.

'Wat raar. Waar slaat dat op? Het is toch alleen maar mooi als het druk is. Dan laten die kerels het wel uit hun hoofd iets te doen. Er gaat maar een lift naar boven. Als iemand de foto's zou pakken, kan hij geen kant uit. Ik vind dit maar gek. Jij hebt Dusseljees nummer, bel hem eens op of dit allemaal wel klopt.'

Steven tast in zijn borstzakje.

'Chips. Ik heb een schoon shirt aangetrokken. Het papiertje zit in het overhemd dat ik gisteren aanhad.'

Vader slaat op het stuur.

'Wat een pech. Nu kunnen we niet nagaan of het echt de baron was die belde.'

'Dom van me', zegt Steven schuldbewust. 'Ik had het nummer meteen in m'n mobiel moeten zetten. Dat doe ik normaal altijd. Wat ben ik een oliebol dat ik dat nu niet gedaan heb.'

'Kun jij niks aan doen', zegt pa. 'Trek het je niet aan. Wat zei hij allemaal precies?'

Steven probeert zo duidelijk mogelijk te vertellen wat de baron tegen hem gezegd heeft.

'En Dusseljee? Zit die nu in het Atomium?' wil vader weten.

'Ja, hij was al onderweg. Maar de baron belt hem nu meteen. Hij heeft uw salaris bij zich. Hij wist niet wie het eerst bij de Koekelberg zou zijn, Dusseljee of zijn chauffeur.'

Vader denkt even na.

'Weet je wat we doen? We zoeken die chauffeur op, maar we geven hem de spullen pas als Dusseljee er is.'

'Da's een goed idee', vindt Steven.

Achter hun rug klinkt gekreun. Kirsten komt overeind en rekt zich eens lekker uit.

'Zijn we er bijna? Ik wil dat Atomidingesgeval wel eens in het echt zien.'

Steven buigt over de leuning.

'Waarschijnlijk doen we dat pas later op de dag. We hebben net een belletje gehad. We moeten de foto's brengen naar de kerk op de Koekelberg.'

Kirsten schatert het uit.

'De Koekelbergkerk! Hoe verzin je zo'n naam? Daar moet je wel heel Belgisch voor zijn.'

Steven grinnikt wat.

'De baron noemde het de Basiliek van het Heilig Hart op de Koekelberg. Dat klinkt heel wat eerbiediger. Het moet een joekel van een kerk zijn.'

Weer begint Kirsten te lachen.

'De joekel op de koekel. Nou, ik ben benieuwd.'

Kirstens mobiel tingelt. Meteen vist ze het apparaatje uit haar zak.

'Hoi. Sms'je van ma. Ben wakker, onrustig geslapen, zijn jullie al in België?'

Kirstens vingers vliegen over de toetsen.

'Yep, bij koekelberg. FF foto's afgeven. Dan feest. Gaan atoomding bekijken.'

Steven heeft hun nieuwe bestemming op de tomtom ingetikt. Even later rijden ze de Belgische hoofdstad binnen. Het valt hun mee hoe rustig het in de stad is. Het lijkt wel of veel Belgen naar andere streken op vakantie zijn. Zonder oponthoud rijden ze in de richting van hun eindbestemming. Steven is de eerste die de basiliek ziet.

'Goeiedag, zeg. Dat moet hem zijn. Nou, dat is echt een joekel.'

De naam Koekelbérg is misschien wat overdreven, maar een flinke heuvel is het wel. Omdat de basiliek op de top staat domineert hij de wijde omgeving.

'Wat een rare kerk', vindt Kirsten. 'Ik heb nog nooit zoiets gezien. Hij lijkt zo ... modern. En toch ouderwets. Tenminste, zoals een kerk moet zijn. Heel apart.'

'Volgens mij is hij nog niet zo oud', meent pa zich te herinneren. 'Niet te geloven dat ze in onze tijd nog zulke enorme gebouwen neerzetten.'

Na ieder stoplicht komen ze dichterbij. Telkens lijkt het gebouw nog imposanter te worden. Vader vindt moeiteloos een parkeerplekje vlak naast de basiliek. Ze stappen uit. Kirsten pakt de plastic tas die naast haar tussen de bank en de voorstoelen staat. Daar zitten de foto's, de negatieven en de kopieën van de documenten in. Ze lopen langs een omheining en een bomenwal die rond het terrein staan waarop de basiliek is gebouwd. Een ruim pad leidt naar de noordkant van de basiliek.

Alle drie zijn ze onder de indruk van het reusachtige gebouw.

'We moeten aan de voorkant bij die toren naar binnen zeker', meent Kirsten.

'De baron zei dat we via een zij-ingang aan de zuidzijde naar binnen moeten', antwoordt Steven.

'Laten we dan maar voorlangs lopen', zegt vader.

Steven voelt de spanning in zijn stem. 'Bent u bang?'

'Bang niet. Maar ik wil niet graag de negatieven aan de verkeerde persoon meegeven. Ik heb er niet zo'n goed gevoel bij. Ik vind het nog steeds raar dat we de foto's moeten brengen. Waarom mag ik ze niet per post verzenden? Is er dan zo'n vliegende haast bij? En nu weer dat gewissel van plaats. Dat voelt niet goed. Er klopt iets niet.'

'We geven niks af voor Dusseljee hier is', zegt Steven.

'Heb ik wat gemist?' vraagt Kirsten.

'Niet echt', zegt vader. 'Maar pas goed op die zak die je daar hebt. Aan niemand afgeven voordat wij het zeggen.'

'Aye aye, sir.'

Steven kijkt naar zijn zus. Voelt zij helemaal geen spanning of is dat een houding van haar? Gek eigenlijk, je woont bij elkaar onder hetzelfde dak en toch doorgrond je elkaar nooit helemaal.

Aan de voorzijde van de basiliek zijn brede terrassen die door trappen met elkaar verbonden zijn. Hier kun je goed zien dat de kathedraal op een hoogte gebouwd is. Het smalle park ervoor strekt zich tot ver in de stad uit. Ze biedt een adembenemend uitzicht op de gebouwen verderop.

'Zo, hé', zegt Kirsten. 'Brussel heeft best wel wat.'

Steven kijkt bij de torens omhoog. Net een reusachtig peper- en zoutstel. De drie gigantische voordeuren zijn gesloten. Als ze verder om de kerk lopen, zien ze de bedoelde ingang aan de zijkant van de basiliek. Glazen deuren bieden toegang.

Vader duwt de zware glazen deur open. Ze komen in een hal. Nog een deur en ze staan in de basiliek. Om hen heen talloze pilaren van geel marmer, en daarboven reusachtige bogen van gemetselde bakstenen. Het is koel binnen. Koel en schemerig. Ze stappen onder de bogen door naar het middenschip. Voor in de kerk is het altaar met een marmeren baldakijn erboven. De hoekpilaren dragen grijze beelden.

'Zo'n binnenkant heb ik ook nog nooit gezien', zegt Kirsten. 'Aan wie moeten we de foto's geven? Is Dusseljee hier?'

Steven wijst naar de overkant van de kerk. 'Daar zijn die bidkapellen ergens. Daar wacht de chauffeur van de baron op ons.'

Met z'n drieën steken ze het middenschip over. Via een glazen deur komen ze opnieuw in een hal. In een waaier zien ze de vijf kapellen. Steven huivert. Die tweede daar links moet hem zijn. Vanwaar ze staan kunnen ze niet naar binnen kijken. Recht tegenover hen in de middelste kapel ligt een vrouw geknield. Ze is niet in het wit gekleed.

'Hoe gaan we het aanpakken?' zegt vader meer tegen zichzelf dan tegen zijn kinderen. 'Als ik er nu eens heen ga en jullie wachten hier? Jullie houden de zak bij je.'

'Ik heb liever dat we bij elkaar blijven', zegt Kirsten. Blijkbaar is ze angstiger dan ze wil laten blijken.

'We kunnen hier wachten tot Dusseljee er is', stelt Steven voor.

Vader knikt. 'Wacht hier even.'

Vader doet een paar passen naar voren tot hij in de kapel kan kijken. Dan keert hij op zijn schreden terug. 'Er is daar een man in een wit pak.'

'Dat klopt', fluistert Steven. 'Dat is die chauffeur.'

Vader denkt even na. 'Laten we toch maar in de kerk wachten op Dusseljee.'

Ze gaan de glazen deur door en laten zich op een van de banken zakken.

'Hoe zag die vent eruit?' wil Kirsten weten.

Vader haalt zijn schouders op. 'Moeilijk te zeggen. Ik heb hem maar even gezien, en dan van achteren. Heel gewoon eigenlijk.'

Dan wordt het stil. Ze kijken wat om zich heen, terwijl de secondewijzers van hun horloges rond kruipen.

Steven denkt intussen na. Wat kunnen ze het beste doen? Stel dat Dusseljee in het verkeer vast komt te zitten? Hoewel, zo druk was het niet. Maar toch kan het nog best een poos duren voor Dusseljee de basiliek bereikt heeft. De baron zal het misschien niet leuk vinden als zijn chauffeur zo lang wachten moet. Hij kan wel nagaan dat ze er inmiddels wel zullen zijn.

'Zal ik naar hem toe gaan?' stelt hij voor. Hij heeft het gezegd voor hij er goed over nagedacht heeft. 'Dan kan ik tegen hem zeggen dat we er zijn. Maar dat hij moet wachten tot Dusseljee er is.'

Vader lijkt te aarzelen. 'U kunt dan hier bij Kirsten blijven.'

'Nou, doe dat toch maar', zegt vader. 'De man zal er waarschijnlijk wel begrip voor hebben. Misschien heeft hij ook het nummer van Dusseljee. In ieder geval van de baron, en via hem kunnen we Dusseljee bereiken. Misschien heb je wel gelijk. En eh, als hij moeilijk begint te doen, geven we de foto's gewoon niet af.'

Steven slikt een keer. Dan komt hij van de bank af. Langzaam loopt hij naar de glazen deur en duwt hem open. De vrouw in de kapel ligt nog steeds op haar knieën. Ze lijkt de enige persoon. In de kerk heeft hij verder ook niemand gezien. Schoorvoetend loopt hij verder. Met iedere stap die hij doet kan hij verder de linker kapel in kijken. Duidelijk is het donkerhouten beeld te zien. Het stelt een man in monnikskleding voor die met zijn rechterhand een zegenend gebaar maakt. Ernaast staan groene planten in potten.

Nog een pas.

Langs de wand hangen afbeeldingen in houten lijsten. Zo op een afstand te zien taferelen uit het leven van Jezus. De kapel wordt verlicht door zonlicht dat door kleurige glas-in-loodramen valt.

Nog een stap.

Daar is het altaar. Strakke vormen met een wit kleed erover. Ervoor staan bidstoelen. Op een van de stoelen ligt een man geknield. Steven ziet dat hij net op zijn horloge kijkt.

De glazen deur van de kapel staat open. Steven haalt diep adem en stapt naar binnen. Zweet kriebelt bij zijn slaap. Wat moet hij doen? Naast de man op zo'n knielbankje gaan zitten? Hij besluit te blijven staan. Langzaam loopt Steven om de man heen. Zijn pak is inderdaad spierwit. Zijn haar is weinig donkerder. Lichtblond. Kortgeknipt.

Als Steven naast hem staat kijkt de man naar hem op. Steven schat de man op een dikke dertig. Hij heeft doordringende blauwe ogen.

'Eh, weet u of dat beeld van pater Damiaan is?'

De man komt met een soepele beweging overeind.

'Nee, jongeman. Dat is een beeld van Franciscus van Assisi.'

Even valt er een ongemakkelijke stilte.

'Heb jij geen foto's bij je?'

Steven kijkt naar zijn lege handen.

'Mijn vader heeft ze in de kerk. We willen eigenlijk wachten tot meneer Dusseljee er is.'

De ogen van de man flitsen in de richting van de kerk. 'Waarom?'

'Nou, we willen zeker weten dat we de foto's aan de juiste persoon geven.'

'Ik ben de juiste persoon.'

Steven heeft hier even niet van terug.

'Mijn vader is in de kerk. Samen met mijn zus.'

De man knikt. 'Nou, laten we daar dan maar eens heen gaan.' Als eerste loopt hij de kapel uit. 'Zijn dat ze? Die daar achter de glazen deur op die bank zitten?' vraagt hij over zijn schouder.

'Ja', antwoordt Steven. Hij is blij dat pa het over gaat nemen. Hij voelt instinctief aan dat deze man hem de baas is.

De man loopt recht op pa af. Steven ziet dat Kirsten de zak onwillekeurig dichter tegen zich aan houdt. Zou de man dat ook gezien hebben? Dan weet hij ook meteen waar de foto's zijn.

'Goedendag. Ik ben de chauffeur van meneer Jacques Vandermole. Ik ben hier om de foto's van u over te nemen.' Hij steekt zijn hand al uit.

'Wacht even', zegt vader met een afwerend gebaar. 'Meneer Dusseljee is onderweg hiernaartoe. Hij kan hier elk moment zijn. Hij kan bevestigen dat u degene bent voor wie u zich uitgeeft.'

'U vertrouwt mij niet? Begrijp ik dat goed? Meneer, er is haast geboden. Dit oponthoud zal de baron niet weten te waarderen. Ik adviseer u de foto's onmiddellijk aan mij te geven.'

'De baron zal het juist weten te waarderen dat we zorgvuldig omgaan met de foto's.'

Steven neemt zijn petje af voor pa. Die laat zich niet zomaar aan de kant duwen.

'Wilt u dat ik de baron voor u bel?' vraagt de man duidelijk geïrriteerd.

'Ik heb liever dat u Robert Dusseljee belt.'

'Daar heb ik geen nummer van.'

'De baron wel.'

De man snuift hoorbaar door z'n neus.

'De baron is niet gewend dat er zo met hem omgegaan wordt. Ik adviseer u met klem ...'

Op dat ogenblik gaat vaders mobiel. Vader steekt zijn hand in de zak en haalt zijn telefoon tevoorschijn. Hij klapt hem open en drukt op de groene toets.

'Simons.'

Steven staat vlak bij hem. In de stille kerk klinkt blikkerig de stem van Dusseljee.

'Hé, lui. Ik sta hier al een hele tijd in de bovenste kogel van het Atomium. Waar blijven jullie eigenlijk?'

HOOFDSTUK 8

Klopjacht

Vader kijkt verbaasd.

'Heeft de baron jou dan nog niet gebeld? We moesten de foto's afleveren in de basiliek op de Koekelberg. Daar zijn we nu. De chauffeur van de baron is hier ook.'

'Daar klopt niets van. Ik kijk hier uit het Atomium naar beneden en ik zie de chauffeur van de baron naast de Bentley op een bankje in de zon zitten.'

Steven kijkt naar de man in het witte pak. Aan de geschrokken blik in de ogen merkt hij dat de vreemdeling doorheeft dat hij ontdekt is. De man aarzelt geen seconde. Hij duikt vooruit, geeft Kirsten een harde duw en rukt het totaal overrompelde meisje de zak uit haar handen.

Kirsten geeft een kreet van pijn. Ze verliest haar evenwicht en duikelt achterover van de bank. Haar hoofd komt hard op de marmeren vloertegels terecht.

De man zet het meteen op een lopen. Steven kijkt geschrokken naar vader. Die lijkt even niet te weten wat hij moet doen. Kirsten ligt kreunend op de grond. Ze houdt met twee handen haar hoofd vast. Vader knielt naast haar neer terwijl hij Steven aankijkt.

'Kijk waar die vent heen gaat!'

'Hij, hij loopt naar de zij-ingang', schuttert Steven.

'Erachteraan! Ik kom zo!'

Steven slikt. Aarzelend begint hij te rennen. Hij kan die man nooit aan. De man heeft de glazen deuren bereikt. Hij rukt het zware glaspaneel open. Een bejaarde dame springt verschrikt aan de kant. Ze roept de man in het pak iets in het Frans achterna. Steven loopt snel naar de glasdeur. De bejaarde dame kijkt boos naar hem en bromt iets dat Steven niet kan verstaan. Vlug glipt hij naar buiten zonder zich iets van de protesten van de oude vrouw aan te trekken. Als hij het kerkportaal uit rent ziet hij dat de man in het witte pak hem ruim voor ligt. Die vent kan geweldig hard lopen. Was Kirsten er maar. Die zou hem misschien in kunnen halen. Maar hij zal zijn best doen. Al durft hij de man niet in te halen, zien waar hij naartoe gaat kan hij natuurlijk wel.

Naast hem klinkt een schreeuw. 'Steven.'

Pa rent naar buiten. 'Zie je die kerel nog?'

Steven wijst. 'Daar!'

Hij houdt even in tot pa naast hem is. 'Alles goed met Kirsten?'

'Gaat wel', zegt pa. 'Nu eerst die zogenaamde chauffeur.'

Vader hapt naar adem en rent zo snel als hij kan. Maar Steven heeft al gauw door dat pa lang niet zo hard kan lopen als hij. Steven loopt samen met hem op. Ze hollen langs de kerk. Voor de hoofdingang gaat het in razend tempo de brede trappen af. De man rent over een gazon. Dan slaat hij rechts een lange brede boulevard in. Hij zigzagt om mensen die soms verbaasd blijven kijken.

'Kun jij niet harder?' kreunt pa na een paar honderd meter.

'Ja, maar wat moet ik dan doen? Ik kan hem ook niet bijhouden. En als ik hem inhaal, wat dan?'

'Ren toch maar vooruit. Misschien hebben we geluk en zie je ergens een politieagent. Je kunt in ieder geval kijken waar hij heen gaat.'

Steven knikt. Meteen rent hij zo snel als hij kan. Pa komt achter hem aan. Als er wat gebeurt, is die in een paar tellen bij hem. De man is hen nu een kleine honderd meter vooruit. Maar de afstand wordt niet meer groter. Blijkbaar is het uithoudingsvermogen van de man in het witte pak ook niet onbeperkt. Hij klemt de plastic tas tegen zijn borst. Als hij even omkijkt, wappert zijn stropdas over zijn schouder. Als hij ziet dat Steven hem achterna komt, voert hij de snelheid weer iets op. Maar Steven slaagt erin hem bij te houden.

Als er even geen verkeer is, rent de man schuin de straat over. In de middenberm staan hoge bomen met parkeerplaatsen eronder. Als de man achter een bestelbusje langsrent, is Steven hem even kwijt. Snel rent hij achter een auto langs naar de overkant. Als hij midden op de weg is, kijkt hij om. Pa, die een eind achter hem rent, zwaait en maakt een gebaar dat hij door moet lopen. Steven rent tussen de geparkeerde auto's door. Hij ziet dat de man inmiddels ook de andere rijbaan overgestoken is en over de stoep rent. Steven blijft in de middenberm rennen. Zo houdt hij goed zicht op die kerel. Het lijkt of hij op de man in begint te lopen. De man raakt duidelijk vermoeid.

Steven voelt een rilling over zijn rug. Straks haalt hij hem in. En dan? Dag meneer, mag ik mijn foto's alstublieft terug? Straks krijgt hij net zo'n lel als Kirsten gehad heeft. Die vent deinst er niet voor terug een pak slaag uit te delen.

Hij ziet dat de man zijn vuisten balt en zijn hoofd laat zakken. Hij zet zichzelf aan tot een uiterste krachtsinspanning.

De man rent een kruispunt over. Heeft hij bijna zijn doel bereikt? Op de hoek is een apotheek en een bank ziet Steven in een flits. De dief rent nog steeds in westelijke richting. Ook dit is een brede weg, maar de middenberm met de bomen heb je hier niet. Het voetgangerslicht springt net op groen als Steven bij het kruispunt aankomt. Zonder te aarzelen rent hij naar de overkant. Even kijkt hij over zijn schouder. In de verte ziet hij zijn pa zich min of meer voortslepen. Hij draaft nog wel, maar heeft er zichtbaar moeite mee. Steven beseft dat hij er meer en meer alleen voor komt te staan.

Toch voelt hij zich langzaam vastberadener worden. Die kerel geeft zijn zus een klap, pikt hun foto's af. Daar mag hij niet zomaar mee wegkomen! Langzaam maar zeker verkleint Steven de afstand. Hij rent nog een meter of vijftig achter de man. Ineens slaat de man een hoek om. Als Steven ook de hoek omrent raakt hij even in paniek.

Die kerel! Waar is die man ineens gebleven? Zijn ogen schieten van links naar rechts. Dan ziet hij nog net de schouders van de man die bezig is een trap af te rennen. Een metrostation! Wat moet hij doen? Pa zal hier voorbij rennen! Als hij naar beneden gaat, staat hij er helemaal alleen voor! Misschien is er bewaking? Misschien is het druk en kan hij iemand vragen hem te helpen. Hij kan in ieder geval zien in welke trein de man stapt. Moet hij dan ook instappen? Dat durft hij nooit. Wat een ellende. Wat moet hij nou doen?

Hij rent naar de trap en holt de treden af. Hij komt in een hal waar roltrappen naar beneden voeren. De man is al bijna de linkerroltrap af. Hij duwt mensen aan de kant en passeert hen ongevraagd. Je ziet dat de meesten schrikken en wegduiken. Steven rent naar de roltrap en loopt ook de treden af, tot hij achter een man staat. De man veegt nog over zijn jas en bromt boos op die vandaal die hem net aan de kant duwde. Steven durft niets te doen. Veel te langzaam daalt de roltrap verder. Eindelijk kan hij het perron op stappen. Van de man in het witte pak is geen spoor meer te zien. Een metrotrein rijdt weg. Steven kijkt door de voorbijglijdende ramen. Ineens ziet hij de man. Hij laat zich net hijgend neerploffen op een bank. Steven rent mee met de metro. Hij bonst op het raam. De man kijkt geschrokken op. Hij kijkt naar Steven. Gespannen? Opgelucht? De man klemt de zak tegen zich aan en wendt zijn blik af. Steven balt zijn vuisten. Hij kijkt naar de zak die de man voor zijn borst houdt. Dan ziet hij iets dat hem nu pas opvalt. De man heeft een speldje op zijn revers. Net zo'n speldje als de beide inbrekers in Wapenveld. Dan heeft de trein te veel vaart. Hijgend kijkt Steven toe terwijl de trein in een duistere tunnelbuis verdwijnt.

Steven snuift van woede en stampt op de grond. Eerst was hij bang om de man in te halen, maar nu hij ontsnapt is, voelt dat als een vreselijke nederlaag. Een paar mensen kijken verbaasd naar hem. Nu de man weg is, is de angst ook weg. Hij voelt alleen nog maar boosheid en teleurstelling. En hij voelt zich een loser. De foto's en de negatieven zijn weg! Die kerel heeft ze, en dat is zijn schuld. Ze hadden nooit naar de Koekelberg moeten gaan. Hij had geen schoon overhemd aan moeten doen, dan hadden ze meteen Dusseljee kunnen bellen. Dom dat hij niet aan het telefoonnummer heeft gedacht. Langzaam loopt hij terug naar de roltrap. Hij voelt zijn hart nog in zijn borst bonken als hij zich door de roltrap naar boven laat brengen. Als hij ook de stenen trap opgelopen is, knippert hij met zijn ogen tegen het felle zonlicht buiten. Waar is pa? Nergens een spoor van hem te bekennen. Nog natrillend van de inspanning en de emotie loopt hij terug naar de boulevard met de bomensingel in het midden. Aan de overkant van de kruising ziet hij vader met zijn mobiel tegen zijn oor. Hij beweegt heftig met zijn arm. Steven fluit even schril op zijn vingers. Vader draait zich om, steekt zijn hand op en wenkt. Steven steekt vlug het kruispunt over. Hij hoort nog net het laatste dat pa zegt.

'Oké, we zien je zo voor de basiliek. Steven komt er net aan. Zo te zien is hij die kerel kwijt.'

Steven knikt.

'Nou, ik zie je zo.'

Pa klapt de mobiel dicht.

'Ben je hem kwijt?'

'Ja, hij ging de metro in. Hij duwde iedereen aan de kant. Dat durfde ik niet, dus kon ik hem niet bijhouden. Toen ik op het perron kwam, reed de trein net voor mijn neus weg.'

'Je hebt je best gedaan. Kom, we gaan kijken hoe Kirsten het maakt.' Ze lopen terug naar de basiliek. Als ze het terrein op komen, zien ze Kirsten op de trap voor de hoofdingang zitten.

Ze steekt haar arm op als ze hen ziet.

Even later zitten ze met z'n drieën op de trap.

'Hoe gaat het?' vraagt pa.

'Goed', antwoordt Kirsten. 'Eerst zag ik sterretjes, maar het valt mee, geloof ik. Ik ben niet misselijk. Zijn jullie die vent kwijt?'

Steven knikt. 'Ik ben hem nagehold tot in de metro. Die gast sloeg iedereen aan de kant. Hij reed net voor mijn neus weg.'

'Welke kant op?'

'Da's een beetje lastig na te gaan als je onder de grond zit, maar volgens mij in de richting van de binnenstad. Hij kan bij ieder station uitstappen. We krijgen hem nooit meer te pakken.'

'Ik had Dusseljee net aan de lijn', zegt pa. 'Ze zijn op weg hierheen.'

'Nou', zucht Steven. 'Die zullen wel niet blij zijn. We hebben ons als een stel kleuters te grazen laten nemen.'

'Dat ben ik niet me je eens', vindt vader. 'We zijn voorzichtig te werk gegaan. We zouden die zak pas afgeven als Dusseljee er was. Wij konden niet weten dat die kerel de zak af zou pakken. Een stelletje smerige dieven, dat zijn het.'

'Het moet haast wel een groep zijn', zegt Kirsten. 'Deze man was er niet bij in Wapenveld toen er in Dusseljees huis werd ingebroken.'

Steven knipt met zijn vingers. 'Maar hij had wel zo'n speldje op.'

Kirsten kijkt hem verbaasd aan. 'Met van die driehoekjes?'

'Ik weet eigenlijk niet of het driehoekjes zijn', zegt Steven. 'Maar het was dezelfde.'

'Hoe zag het er precies uit?' wil pa weten.

Steven tekent met zijn vingers in de lucht. 'Een driehoek met de punt naar boven, en daaronder een driehoek met de punt naar beneden, en iets ertussen.'

'Wat ertussen?'

'Iets wat op een letter G lijkt.'

'Komt me niet bekend voor.'

78

'Maar wat doen we nou?' vraagt Kirsten.

Vader haalt zijn schouders op. 'We kunnen weinig meer doen dan wachten tot Dusseljee hier opduikt.'

Steven wijst. 'Daar komt hij net aan.'

Dusseljee komt met grote passen over het pad voor de basiliek op hen aflopen. Hij zwaait. Pa steekt zijn hand op. Achter Dusseljee loopt een fors gebouwde man in een grijs uniform.

'Dat zal de chauffeur van de baron zijn', zegt vader.

Dusseljee beklimt de trap met de brede treden.

'Wat is er gebeurd?' roept hij al van een afstandje. Pa komt overeind. Hij geeft Dusseljee een hand.

'Ze hebben ons bij de neus genomen.'

'Hoe dan?'

'Onderweg hiernaartoe kregen we een belletje van de baron. Of tenminste van iemand die zich voor de baron uitgaf. Hij zei dat we niet naar het Atomium moesten gaan, maar dat we de foto's hier in de basiliek af moesten geven aan een man in een wit pak.'

'En dat hebben jullie gedaan?'

'Nee. We vertrouwden het niet. Steven is naar de man toegegaan. Hij heeft tegen hem gezegd dat hij de foto's pas zou krijgen als jij erbij zou zijn. Hij kwam met Steven de kerk in lopen. Net toen hij bij ons was, belde jij. Toen had die gast meteen door dat hij erbij was. Hij gooide Kirsten op de grond en pakte haar de zak af.'

'Wat had je precies in die zak?' vraagt Dusseljee geschrokken.

'Alles. De negatieven, de afdrukken, en de kopieën die je vader indertijd gemaakt heeft.'

Dusseljee zucht diep en strijkt met zijn hand door zijn haar. De chauffeur is er inmiddels ook.

'Hebben jullie nog gezien waar hij heen ging?' wil Dusseljee weten.

'Ik ben achter hem aan geheld', antwoordt Steven. 'Hij is aan het eind van die straat de metro in gegaan. De trein reed net voor mijn neus weg.'

Dusseljee knijpt zijn lippen bij elkaar. 'Daar zal Jacques niet blij mee zijn.'

'Ik kon hem echt niet inhalen', zegt Steven. 'En als ik dat wel had gekund, wat had ik dan moeten doen? Die kerel was veel sterker dan ik.'

'Zo bedoel ik het niet', zegt Dusseljee. 'Trek het je alsjeblieft niet aan. Hadden jullie mijn nummer niet meer?'

Steven heeft weer het gevoel dat hij door de grond zakt.

'Dat hebben we thuis laten liggen', zegt pa.

'Niks aan te doen. Het is gebeurd', antwoordt Dusseljee. 'Dit is Herbert Houyet, de chauffeur van de baron.' Ze geven de man een hand en stellen zich voor.

'Ik zal Jacques bellen en vragen wat we moeten doen.'

'Wacht even met bellen', zegt pa. 'Het is misschien minder erg dan je nu denkt. Ik heb mijn fototoestel in de auto liggen. Ik heb foto's van de kopieën gemaakt. Ze staan op de harde schijf. Ik kan nieuwe afdrukken maken. Ook heb ik gisteren foto's van de foto's gemaakt. Met fotoshop kun je ze bewerken. Ik hoopte de afdrukken duidelijker te kunnen maken. Ik ben nu heel blij dat ik dat gedaan heb.'

Dusseljee kijkt hem verbluft aan.

'Dus je hebt alles nog? Begrijp ik dat goed?'

'Daar komt het wel op neer.'

'Wow, dat is geweldig. Dat maakt het een stuk makkelijker om Jacques te bellen.'

Hij doet een paar stappen opzij en tikt een nummer in.

Zwijgend staan ze te wachten tot Dusseljee zijn verhaal gedaan heeft.

'Ja, dat lijkt me ook het beste.'

...

'Ik zal het er met hen over hebben.'

...

'Ga daar maar van uit. Dag.'

Dusseljee klapt zijn mobiel dicht en laat hem in zijn zak glijden.

'Jacques Vandermole nodigt ons uit op zijn kasteel. Hij heeft een goede printer, en als die niet goed genoeg is, laat hij een betere komen. Hij wil heel graag nieuwe afdrukken hebben.'

Pa knikt. 'We hadden verwacht rond deze tijd te genieten van een korte vakantie. Maar we zijn hier nu eenmaal ingerold. Wie A zegt moet ook maar B zeggen.'

'Waar heb je de auto staan?'

'Daar opzij van de basiliek.'

'Wij rijden ernaartoe. Een donkerblauwe Bentley. Die kun je niet missen. Rijd gewoon achter ons aan.'

Even aarzelt hij.

'Het wordt misschien een race tegen de klok. De anderen hebben de foto's, de negatieven en de aantekeningen van mijn vader. Voor hen is de jacht op de schat al begonnen. Voorlopig liggen ze een straatlengte op ons voor.'

HOOFDSTUK 9

De geschiedenis van de schat

'Wow', zegt Kirsten opgewonden. 'Wat een gebouw.'
Ze zit voorin en is de eerste die het kasteel van Jacques Vandermole ziet. Ze zijn net door een grote, op afstand te openen poort gereden.

Steven buigt zich naar voren. Aan het eind van de oprit doemt kasteel Val Duchesse op. Veel ramen, talloze dakkapellen en een breed bordes. Links zijn vijvers waar fonteinen water hoog in de lucht spuiten.

'Op zo'n plek wil ik trouwen', zegt Kirsten bewonderend. 'Liefst met iemand die zelf zoiets heeft.'

'Iemand die zo'n huis heeft bedenkt zich wel drie keer voor hij met jou trouwt', snuift Steven.

'O ja? En waarom dan wel?'

'Een kasteeldame moet meer kunnen dan volleyballen.'

Woedend draait ze zich om.

'Ik kan echt wel meer dan volleyballen. En als jij Dusseljees nummer niet vergeten was, stonden we nu met een ijsje in de hand naar Manneken Pis te kijken.'

Dat steekt.

'Ophouden', zegt pa streng.

De Bentley komt voor het bordes tot stilstand. Vader zet zijn Passat erachter. Steven is de eerste die uitstapt. Over het dak van de auto ziet hij dat een van de deuren boven op het bordes openzwaait. Een energieke grijze man stapt naar buiten. Zijn gezicht staat ernstig, maar niet onvriendelijk.

Hij steekt even zijn hand op naar Dusseljee en loopt dan naar de

Passat toe. Vader krijgt een hand. 'Jacques Vandermole. Welkom.'

'Ton Simons. Het spijt me dat we elkaar onder deze omstandigheden ontmoeten.'

'Geen probleem. Ik begreep van Robert dat nog niet alles verloren is. U bent in staat nieuwe afdrukken te maken?'

'Dat klopt. En ze zullen dezelfde kwaliteit hebben als die we kwijt geraakt zijn. Als u goed materiaal hebt. Hebt u printerpapier van fotokwaliteit?'

'Nee.'

De baron tast in zijn binnenzak en haalt er een leren opschrijfboekje uit. 'Kunt u hier opschrijven welke printer het beste is en welk papier? Mijn chauffeur gaat dat onmiddellijk halen en aansluiten. Binnen een uur kunt u aan het werk. Intussen kan ik jullie binnen vertellen waar het om gaat.'

Steven kijkt naar de baron. Hij straalt een natuurlijk gezag uit. De edelman heeft iets over zich waardoor je geen ruzie met hem wilt. Zo voelt Steven het tenminste, maar hij kan niet aangeven waar hem dat in zit. Er hangt iets mysterieus om de man, of zou dat komen omdat hij vrijmetselaar is?

Vader maakt intussen een paar aantekeningen en geeft het boekje terug aan de baron.

'Hebt u het programma fotoshop op uw computer?'

'Nee.'

'Misschien dat uw chauffeur de nieuwste versie van dat programma mee kan nemen. Daarmee kan ik de foto's bewerken.'

Jacques geeft het boekje aan Herbert.

'Heb je dat gehoord?'

De chauffeur knikt. 'Ik ken het programma.'

Hij loopt in de richting van de auto.

De baron geeft Steven en Kirsten een hand en nodigt hen met een handgebaar naar binnen.

Steven kijkt zijn ogen uit. Het kasteel lijkt wel een museum.

Niet te geloven dat er mensen bestaan die privé zo leven. De baron neemt hen mee naar een ruime serre met een adembenemend uitzicht op de tuinen. Hij trekt aan een belkoord.

Vanuit een deur verschijnt een korte gedrongen man met een grote pleister op zijn voorhoofd.

'Meneer had gebeld?'

'Ja, Philippe, wil jij iets te drinken halen?'

'Zeker, meneer.'

De baron wijst intussen zijn gasten een stoel en gaat tegenover hen zitten in een leren fauteuil.

'Welkom op Val Duchesse. Ik had u graag uw korte vakantie gegund, maar onder de huidige omstandigheden lijkt het me beter dat u hier bent. Onze tegenstanders hebben nu de nodige troeven in handen en een voorsprong. Maar vertel eerst eens wat er gebeurd is. Jullie zullen wel geschrokken zijn.'

'Nou, dat kunt u rustig zeggen', zucht Kirsten. 'Die vent heeft me een oplawaai verkocht.'

Vader doet in korte zinnen verslag van wat er gebeurd is.

De baron hoort hem zwijgend aan. Hij wacht een ogenblik, alsof hij even over iets na moet denken. Dan zegt hij: 'Ik wil jullie uitnodigen met mij mee te doen. Haast is geboden en ik kan alle hulp gebruiken.'

'Wat verwacht u van ons?' vraagt vader.

'Dat u mij meehelpt de schat te vinden voor onze tegenstanders hem in handen hebben.'

Vader maakt een afwerend gebaar.

'U hebt het zo laconiek over tegenstanders. Maar deze criminelen deinzen er niet voor terug in te breken en geweld te gebruiken. Ik ga mij en mijn kinderen niet in gevaar begeven voor een of andere vage schat.'

De baron slaat zijn benen over elkaar.

'Ik begrijp uw bedenkingen. Toch denk ik dat het minder gevaarlijk is dan u denkt. Maar laat mij u eerst vertellen over wat u een vage schat noemt. We hebben nog even tijd tot de printer gebracht is. Als u nadat u mijn verhaal hebt gehoord besluit te vertrekken, vind ik dat goed. U bezorgt mij dan mijn afdrukken, u krijgt uw beloning en Herbert brengt u naar uw hotel. Afgesproken?'

'Afgesproken', antwoordt vader. 'U maakt me nieuwsgierig.'

Steven snuift. Dat is nog zachtjes uitgedrukt. Hij brandt van nieuwsgierigheid. Als hij opzij kijkt, ziet hij dat Kirsten ook op het puntje van haar stoel zit.

'Ik moet wel eerst een stuk voorgeschiedenis vertellen. Ik hoop niet dat jullie dat vervelend vinden?'

'Ik moet eigenlijk niet zo veel van geschiedenis hebben', zegt Kirsten. 'Maar als het over een schat gaat, ligt dat anders.'

'Het gaat zeer waarschijnlijk om, in ieder geval een deel van, de schatten van de tempeliers. De tempeliers waren een ridderorde. Maar dat is niet het begin van het verhaal. Ik ben een vrijmetselaar en dat heeft er ook mee te maken.'

Kirsten knikt hevig. 'Daar heeft meneer Dusseljee het ook over gehad. Dat zijn geen gewone metselaars.'

De baron glimlacht. 'Het heeft oorspronkelijk wel met metselen te maken. Tegenwoordig is metselaar een gewoon beroep. Een metselaar is een bouwvakker. Mooi werk, maar er wordt niet hoog tegen opgekeken. Dat was vroeger anders. Ik heb van Robert Dusseljee begrepen dat jullie christen zijn. Dan hebben jullie vast van de tempel van Salomo gehoord. Wat je misschien niet wist, is dat de tempel helemaal in stilte gebouwd werd. De stenen werden in een groeve op maat gehakt en pas later bij de tempel verwerkt. Je snapt wel dat dit een ongelooflijk moeilijk karwei was. Alleen de allerbeste bouwers konden zoiets. Metselaar in die tijd, dat werd je niet zomaar. In de middeleeuwen waren het de metselaars die de grote kathedralen bouwden. Ze stonden heel hoog in aanzien. Dat moet je even in je achterhoofd houden.'

Wat het met een schat te maken heeft is Steven niet duidelijk, maar dat komt vast nog wel.

De baron maakt een gebaar met zijn arm.

'Het verhaal van de tempeliers begint tijdens de kruistochten. In de middeleeuwen gingen veel mensen een reis maken naar Israël. Een pelgrimsreis. Dat was een riskante onderneming waar je soms jaren mee bezig was. Het werd nog gevaarlijker toen de Moren Israël, dat toen Palestina heette, veroverden en de pelgrims het leven zuur maakten. De paus kreeg te horen hoe het er in het Heilige Land aan toe ging en die liet het er niet bij zitten. Hij riep ridders uit heel Europa op om het Heilige Land te heroveren. Tienduizenden gaven aan de oproep gehoor. Jeruzalem werd heroverd. Natuurlijk wilde de paus niet dat als de kruisridders vertrokken waren, de Moren terug zouden komen. Jeruzalem en het Heilige Land moesten worden bewaakt. Vooral de tempel in Jeruzalem moest behouden blijven. Een groep ridders bood aan achter te blijven. Ze kregen de naam: tempeliers. Rond 1118 werd het een nieuwe ridderorde met strenge regels. Meteen vanaf het begin was de tempelorde met raadsels omgeven. De eerste negen jaar van hun bestaan groeven ze overal rond de tempel. Ze zochten het hele tempelterrein af.'

'Waar zochten ze dan naar?' vraagt Kirsten. Ze is nog verder naar het puntje van haar stoel gegleden. Het verbaast Steven hoe geïnteresseerd zijn zus is.

'Dat weet niemand', antwoordt de baron. 'Maar er zijn wel vermoedens. De tempel van Salomo is door koning Nebukadnezar verwoest. Hij nam de tempelschatten mee. Er staat precies in de Bijbel waar die schat uit bestond. Maar bijvoorbeeld de ark van het verbond, een gouden kist, stond er niet bij. Waar is die gebleven? Hebben priesters hem verstopt op de Tempelberg? Zochten de tempeliers daarnaar? Of zochten ze de graal?'

Kirsten steekt haar hand op. 'Vindt u het vervelend als ik steeds vragen stel?'

'Nee, helemaal niet. Integendeel. Ik wil graag dat jullie begrijpen waar het om gaat.'

'Oké. De ark die ken ik. Dat is de kist met de twee gouden engelen op het deksel. Met de stenen tafelen van Mozes erin en nog een paar dingen. Dat staat in de Bijbel.'

'Klopt.'

'Maar wat is graai of de graal, wat u net zei?'

Steven heeft wel eens van de graal gehoord. Iets met een beker.

'Of de graal bestaat weet ik niet', gaat de baron verder. 'Het komt uit een legende. Toen Jezus aan het kruis hing, zou iemand zijn bloed opgevangen hebben in een schaal of een beker. Dat is de graal. Volgens de legende blijft iedereen die uit die beker drinkt eeuwig leven.'

'Ha', zegt Kirsten. 'Dat kan nooit.'

'Nee, dat geloof ik ook niet. Maar in de middeleeuwen was men er heilig van overtuigd dat de graal bestond. En er werd verwoed jacht op gemaakt. Hebben de tempeliers ernaar gezocht in Jeruzalem? Hebben ze hem gevonden? Of iets waarvan ze dachten dat het de graal was? Niemand die het weet. De tempeliers waren een ridderorde met hun eigen geheimen die ze alleen elkaar vertelden en niemand anders. De orde van de tempeliers heeft ongeveer twee eeuwen bestaan. Het was een orde voor ridders uit rijke en belangrijke families. Zelf moesten de ridders sober leven. Maar ze gaven veel aan de orde. De ridderorde kreeg ook veel geld. Soms als een gift, en soms te leen. Zodoende was de orde van de tempeliers schatrijk. Ze bezaten ook veel landerijen. De tempeliers begonnen geld uit te lenen. Zo vormden ze de eerste banken. Ze werden specialisten in het verzenden en bewaken van grote sommen geld en andere kostbaarheden. Omgerekend naar onze tijd was de orde van de tempeliers een miljardenonderneming. Een onderneming met het hoofdkwartier in Parijs. In Parijs stond de Temple. De belangrijkste schatten werden hier bewaakt. Welke schatten? Ook dat wist niemand.'

Langzamerhand begint Steven te begrijpen dat de tempeliers-schat veel meer kan zijn dan een kist vol goud of edelstenen. Geboeid luistert hij naar de baron die zijn verhaal vervolgt.

'In het begin ging het dus goed met de tempeliers. Maar dat bleef niet zo. De Moren vochten zich terug het Heilige Land in. De ene na de andere provincie moest uit handen gegeven worden. In 1291 werden de tempeliers voorgoed uit Palestina verjaagd. Dat was het begin van het einde. In Frankrijk kwam een nieuwe koning: Filips de vierde. Zijn bijnaam was Filips de Schone. Een mooie naam, maar een aangenaam mens was het niet. Hij leidde een uitbundig leven en had daardoor altijd geldgebrek. Hij zette zijn zinnen op de schat van de tempeliers. Als hij die toch eens in handen kon krijgen. Hij zorgde ervoor dat er een paus gekozen werd die hem gehoorzaamde. Daardoor zag hij zijn kans schoon. Hij gaf de tempeliers de schuld van het verlies van het Heilige Land en begon valse geruchten over hen rond te strooien. De tempeliers zouden ketters zijn. Ze aanbaden God niet, maar de Egyptische godin Isis. Om lid te worden moest je Christus vervloeken. Omdat de tempeliers een geheim genootschap vormden, werden de verhalen geloofd. De paus verbood de orde en Filips zag zijn kans schoon. Op vrijdag 13 oktober 1307 liet hij alle tempeliers die hij te pakken kon krijgen gevangennemen en doden.'

'Wow', zegt Kirsten. 'Wat gemeen.'

Even denkt ze na.

'Hé, da's ook toevallig. Vrijdag de dertiende. Ze zeggen altijd dat dat een ongeluksdag is.'

'Da's niet toevallig', antwoordt de baron. 'Juist omdat op vrijdag de dertiende de tempeliers werden uitgemoord, is deze datum tot ongeluksdag uitgeroepen. Natuurlijk kregen ze niet alle tempeliers te pakken. Een groep tempeliers ontsnapte in een vloot naar Schotland. Anderen doken onder.'

Hij onderbreekt zijn verhaal even om de spanning op te voeren.

'Toen Filips in Parijs de Temple van de tempeliers open liet breken bleek ze leeg te zijn. De schat was onder zijn neus weggekaapt.'

'Wow', zegt Kirsten. 'Wat een goeie! Wie hadden dat gedaan?'

'Dat weet niemand. Hadden de tempeliers hem meegenomen op de vloot naar Schotland? Veel mensen denken het. Er werd in Schotland een schitterende kerk gebouwd: Rosslyn Chapel. Waar kwam het geld vandaan? Van de tempeliers? Er deed een andere legende de ronde. De schat zou op een hooiwagen naar België zijn gebracht en ergens in Vlaanderen verborgen zijn. Niemand die het zeker wist. Tot mijn vader op een van zijn zoektochten een merkwaardig document tegenkwam. Een kort ridderverhaal, geschreven door een cisterciënzermonnik.'

Kirsten zet een vragend gezicht.

'De tempeliers waren een ridderorde. Cisterciënzermonniken zijn een monnikenorde. Veel van de leefregels waren hetzelfde. Eigenlijk zagen zij zichzelf als twee takken van dezelfde boom. Mijn vader had zijn eigen ideeën over de schat. Hij dacht te weten wat er echt gebeurd was. Volgens hem voelden de tempeliers aan wat Filips van plan was. Ze haalden de schat uit de tempel, en brachten hem naar België. Natuurlijk zochten ze een cisterciënzerklooster op. Daar ontvingen ze hulp. De tempeliers verstopten de schat samen met de monniken op een geheime plaats. Toen wachtte men af. In die tijd moeten de tempeliers gedacht hebben dat hun orde tijdelijk verboden zou worden. Als Filips zou sterven of er een nieuwe paus zou komen zouden de oude tijden herleven. Maar dat is nooit gebeurd. De tempeliers en de monniken die de verblijfsplaats kenden, stierven de een na de ander. Mijn vader vermoedde dat de laatst overgebleven monnik opgeschreven heeft waar de schat zich bevond. Hij wist dat hij dit niet zomaar op kon schrijven. Dan zou ieder die zijn brief vond de schat kunnen vinden. Alleen tempeliers mochten de schat vinden. Wat deed hij dus, hij maakte er een soort puzzel van.'

'Van zijn brief?' vraagt Steven.

'Juist', antwoordt de baron. 'Hij schreef een ridderverhaal. Maar hij deed het zo dat een echte tempelier zou begrijpen dat er een dubbele bodem in het verhaal zat. Hij zou de aanwijzingen begrijpen en zo de weg naar de schat vinden. Zo'n verhaal met puzzels noem je een enigma.'

Steven denkt dat hij het begrijpt.

'Is dat net zoiets als een gelijkenis? Dat is ook een verhaal met een dubbele bodem. De verloren zoon gaat over een jongen die bij zijn vader vandaan gaat, maar het gaat eigenlijk over God en de mensen.'

'Precies', zegt de baron. 'Het is niet helemaal hetzelfde, maar je kunt het wel vergelijken.'

Op dat moment wordt er aangeklopt. De butler stapt binnen.

'Herbert heeft de printer aangesloten en het fotopapier erin gedaan, meneer.'

De baron komt overeind uit zijn stoel.

'Laten we gaan.'

Steven steekt zijn hand op. 'Mag ik nog één vraag stellen?'

'Zeker, jongen.'

'Denkt u dat uw vader de schat gevonden heeft?'

'Ik weet zeker dat hij hem gevonden heeft. Dat heeft hij mij zelf verteld.'

'En u weet niet waar de schat is?'

De baron kijkt hem aan.

'Onze vaders moeten een reden gehad hebben waarom ze de verblijfplaats van de schat verborgen hielden. Daarom ben ik erop gebrand dat onze tegenstanders hem niet vinden. Ik ben heel benieuwd naar de aantekeningen die Roberts vader gemaakt heeft. Hoe duidelijk zijn die? Kun je de schat er makkelijk mee vinden? Of moet je nog steeds over speciale kennis beschikken?'

De baron maakt een uitnodigend gebaar in de richting van de

deur. Het gezelschap komt overeind. Achter de baron aan verlaten ze de kamer. Steven loopt met Kirsten achteraan.

'Vind je dit niet eng?' fluistert hij.

'Niet zo eng als toen achter de bar bij Dusseljee. Nu zijn er volwassenen bij. Pa, Dusseljee, en die baron staat vast ook zijn mannetje wel. En die chauffeur lijkt me megasterk.'

Steven knikt. 'Die kerels vind ik het ergste niet. Ik ben banger voor de schat zelf.'

Kirsten kijkt hem verbaasd aan. 'Hoezo? Wat kan er eng zijn aan een schat?'

'Waarom hebben die vaders hem verborgen gehouden? De farao's verstopten hun schatten ook. Zij maakten allerlei vallen voor degene die zou proberen de schat te roven. Hebben ze misschien de plek gevonden waar de schat ligt, maar durfden ze hem niet te openen? Zou dat de reden zijn waarom de schat er nog ligt?'

Kirsten kijkt boos.

'Jij denkt veel te diep na. Met die enge verhalen maak je mij ook bang. Je wordt bedankt.'

'Ik denk nog veel dieper na. Stel dat de tempeliers de ark van het verbond wel gevonden hebben op de Tempelberg. Weet je wat er gebeurde met mensen die de ark aanraakten?'

'Houd op!' roept Kirsten.

Vader draait zich om. 'Wat is er met jullie?'

'Steven maakt me bang. Hij denkt dat de schat zo eng is dat die vaders hem niet durfden te ontdekken. Dat ze de ark van het verbond gevonden hebben.'

De baron draait zich met een ruk om. Even kijkt hij Steven doordringend aan. Dan glijdt de glimlach weer over zijn gezicht.

'Dat lijkt me sterk', zegt hij. 'Ik denk dat we een heel andere kant uit moeten denken.'

De stem van de baron klinkt geruststellend. Steven hoort Kirsten opgelucht ademhalen. Zelf voelt hij de angst als een kille deken om zich heen glijden. Er klopt iets niet, maar wat? De baron leek een ogenblik dwars door hem heen te kijken.

Hij lachte vriendelijk, maar zijn ogen lachten niet mee.

HOOFDSTUK 10

Papieren raadsels

D e baron opent een deur. Daarachter is een ruim kantoor. Op een modern designbureau met een dik glazen blad staat een hypermoderne computer met een splinternieuwe printer. De doos staat ernaast op de grond. Vader loopt ernaartoe. Hij zet zijn fototas op het glazen blad en haalt zijn camera eruit. Hij opent het vakje waar de geheugenkaart in zit. Die steekt hij in een van de gleufjes van de computer.

'Ik zal het meteen op uw harde schijf zetten. Dan hebt u ze zelf ook en zijn ze veilig. Ah, ik zie dat uw chauffeur fotoshop ook al geïnstalleerd heeft.'

Steven ziet dat de baron gespannen naar het scherm kijkt. Kirsten komt ernaast staan. Ze steekt de handen in haar zakken en kijkt met het hoofd schuin naar het scherm. Steven komt langzaam dichterbij.

'Ik heb de afbeeldingen gisteren al bewerkt', zegt vader. 'We hoeven ze alleen nog maar te printen. De details kan ik dan eventueel met fotoshop bijwerken. Zal ik eerst de foto's doen?'

'Da's goed', antwoordt de baron. Steven ziet de spanning op het gezicht van de Belgische edelman. Vader heeft de foto's in een mapje gezet. Als hij die aanklikt, verschijnen de foto's in miniatuurweergaven op het scherm. Jacques Vandermole buigt zich voorover. Vader klikt de eerste aan. Een groot wazig oor verschijnt in beeld. Steven let nog steeds op de baron. Die buigt zich nog dieper naar het scherm. Hij ziet dat het oor hem weinig interesseert. De baron kijkt naar de achtergrond. Met zijn vingers wrijft hij over zijn kin.

'Ik had niet verwacht dat ze zo duidelijk zouden zijn', mompelt hij zacht. 'Zijn de gestolen afdrukken ook zo?'

'Het klinkt of je daar niet blij mee bent', zegt Robert Dusseljee verbaasd.

'Dat ben ik ook niet. Je kunt duidelijk op de achtergrond een muur zien met een deel van een raam met spijlen ervoor.'

'Een gevangenis?' oppert Kirsten.

De baron schudt zijn hoofd. 'Dat hoeft niet. Veel oude gebouwen hebben van die tralies. Bovendien was dit niet wat Dusseljees vader op de foto wilde hebben. Hij hield de camera immers verkeerd om.'

'Maar dan kun je toch niks met zo'n foto?'

'Als je weet waar dit raam is, dan weet je ook waar Dusseljees vader stond op het moment dat hij de foto maakte. En kun je dus ook zien wat hij wel op de foto wilde zetten. Ik ben er niet blij mee dat de achtergrond zo duidelijk is. Onze tegenstanders hebben deze foto's ook. Als ze ook maar van één foto weten waar hij is gemaakt, zitten ze op het spoor van de schat.'

'Ik zal ze uitdraaien', zegt vader. Hij drukt op de printknop. De printer klikt even en rolt dan een glasheldere afbeelding naar buiten. Zo print vader alle foto's. Jacques vist ze meteen uit de printer en legt ze onder de felle lamp die aan staaldraden boven het bureau hangt. Steven ziet dat hij steeds bezorgder kijkt. Op sommige foto's is weinig meer te zien dan blauwe lucht of vlakke weilanden. Maar op andere zijn delen van gebouwen te onderscheiden. Vaak middeleeuws uitziende gebouwen.

Jacques schudt zijn hoofd. 'Met een beetje verstand van zaken kun je vrij vlot bepalen waar sommige foto's werden gemaakt. Hoe duidelijk zijn de documenten geworden?'

Vader opent een ander mapje. Hij print de opname die hij van de eerste kopie gemaakt heeft. De baron pakt hem uit de printer en legt hem onder de lamp. Hij harkt met zijn vingers door zijn haar.

'Niet te geloven. Dit is niet te geloven! Robert, Robert, van de doden niets dan goeds, maar hier heeft je vader een kapitale blunder gemaakt. Moet je zien. De belangrijkste delen zijn onderstreept. Kijk, hier staat zelfs de vertaling ernaast.'

Vader klikt de volgende foto voor.

Jacques laat zich een lelijk woord ontvallen. Hij wijst naar het scherm.

'Moet je kijken, hier noemt hij zelfs een plaatsnaam, Brugge. Laat de laatste pagina eens zien.'

Ton Simons klikt de laatste pagina voor. Steven ziet de ogen van de baron over het beeld flitsen. 'Gelukkig, zo te zien heeft hij niet opgeschreven waar de schat ligt. Laten we hopen dat onze tegenstanders niet te veel verstand van zaken hebben. Is dit alles?'

'Nee', zegt Steven. 'Pa, u hebt ook nog een foto gemaakt van die gedichtjes.'

'Da's waar.'

Vader heeft die foto niet in een mapje gezet. Hij haalt hem te-voorschijn en print hem uit. Steven ziet dat de baron van kleur verschiet als hij de print oppakt.

Hij houdt de print naast de andere die op tafel liggen.

'Het is een vertaling van de enigma's. Zelfs iemand die geen Oud-frans kan lezen weet nu de belangrijkste passages van het docu-ment. Dit is beslist een troef in handen van onze tegenstanders.'

Vader draait zich om in de bureaustoel.

'Daar wil ik het eerst wel eens over hebben. U hebt het steeds maar over tegenstanders. Hebt u een vermoeden met wie we te maken hebben?'

De baron lijkt even te aarzelen. 'Vermoedens wel. Maar daar heb-ben we niet zoveel aan.'

Hij kijkt naar Steven en Kirsten.

'Jullie hebben ze gezien. Hoe zagen ze eruit?'

'Die twee inbrekers heb ik het best gezien', zegt Kirsten. 'Ze zagen er helemaal niet uit als inbrekers. Ze reden in een dure auto, en ze hadden nette pakken aan. Ze leken meer op directeuren dan op boeven. Steven, jij hebt die vent in de kerk het best gezien.'

Steven knikt. 'Hij zag er ook normaal uit. Hij had licht haar en opvallend blauwe ogen. Ik ben hem achterna gehold. Maar ik ben blij dat ik hem niet te pakken heb gekregen. Hij gaf Kirsten een klap en in de metro duwde hij ook iedereen aan de kant.'

Kirsten knipt met haar vingers. 'Die gasten hadden alle drie een speldje op.'

De baron kijkt haar aan. 'Een speldje?'

'Dat klopt', valt Steven zijn zus bij. 'Maar we weten niet wat het voorstelt. We hadden ze nog nooit eerder gezien.'

'Hoe ziet zo'n speldje eruit dan?'

'Nou, het lijken twee driehoekjes. Een met de punt naar boven en een met de punt naar beneden. Met iets ertussen dat op een letter G lijkt.'

Hij ziet dat Dusseljee en de baron elkaar aankijken.

'Waren het misschien een passer en een winkelhaak?'

Steven aarzelt. 'Zou kunnen.'

De baron loopt naar een boekenkast en trekt er een boek uit. Op de omslag staat een man met een klein schortje voor. Op dat schort staat een teken. Een passer met de punt naar boven en een winkelhaak met de punt naar beneden. Het boek heet *De vrijmetselaars. Hun geschiedenis en mystieke verbanden.* Onder aan het omslag staan nog een aantal tekens. Kruisen, een metseltroffel en nog een teken. De baron legt er zijn vinger bij. 'Was dit het?'

Steven kijkt naar het teken. Het is precies gelijk aan de speldjes van de mannen.

'Ja, dat is hem', zegt Kirsten opgewonden. 'Wat is dat voor ding?'

Steven ziet dat de baron naar Dusseljee kijkt. Robert Dusseljee slaat de ogen neer.

'Da's niet zo mooi', fluistert hij.

'Nee, da's zeker niet zo mooi.'

Vader spreidt zijn armen. 'Heb ik iets gemist?' zegt hij geïrriteerd. 'Wat is dat voor een teken?'

De baron legt het boek op tafel en wijst op de persoon die erop afgebeeld staat.

'Dit is George Washington, de eerste president van de Verenigde Staten. Hij staat hier afgebeeld met de versierselen van de vrijmetselaars. Je ziet op zijn schort de passer en de winkelhaak, maar niet de letter G. Hij is een grootmeester van de orde. Gewone leden van een vrijmetselaarsorde zijn gezel. Die hebben de G bij hun versierselen. Dat schortje wordt alleen bij de vergaderingen en officiële gelegenheden gedragen. Gezellen mogen een speldje dragen om te laten zien dat ze vrijmetselaar zijn. Grootmeesters zoals ik dragen die niet.'

'Met andere woorden,' trekt vader de conclusie, 'onze tegenstanders zijn vrijmetselaars. Wat houdt dat in? Waarom schrikken jullie daar zo van? Zijn ze gevaarlijk?'

Robert schudt zijn hoofd.

'Op zich niet, maar vrijmetselaars weten veel van tempeliers. Mijn vader is dom geweest. De cisterciënzermonnik die het verhaal geschreven heeft, heeft dat zo gedaan dat alleen een tempelier de boodschap zou begrijpen.'

'Maar een vrijmetselaar is geen tempelier.'

Dusseljee houdt zijn hoofd wat scheef. 'Toch wel min of meer.'

'Toen Filips de tempeliers uitmoordde, doken veel tempeliers onder', zegt Jacques somber. 'Metselaars stonden in de middeleeuwen in hoog aanzien en vormden besloten groepen met hun eigen geheimen. De tempeliers gingen op in de gilden van de metselaars. Zij werden de vrije metselaars. Daaruit ontstond de vrijmetselarij. Vrijmetselaars kennen de geheimen van de tempeliers. Alleen grootmeesters, zoals mijn vader, kennen alle geheimen. Maar gezellen weten genoeg om met deze aanwijzingen de schat te kunnen vinden.'

Hij kijkt nog eens naar de papieren. 'Misschien zouden zelfs jullie met behulp van deze aanwijzingen de bergplaats kunnen vinden. Deze aantekeningen verraden vrijwel alles. Zeker nu de moeilijke enigma's ook nog eens vertaald zijn. Wie een beetje handig is in het oplossen van puzzels kan een heel eind komen. En dat zou betekenen dat vrijwel iedereen de plek kan vinden.'

Hij wijst op zijn horloge. 'We hebben geen tijd te verliezen. Ze liggen ons een straatlengte voor. Maar misschien weten wij samen meer dan zij, en kunnen we vlotter werken.'

Vader maakt een afwerend gebaar. 'U gaat er zo te horen van uit dat wij zomaar achter u aan galopperen. Maar u hebt mij er nog niet van overtuigd dat het niet levensgevaarlijk is.'

'Vrijmetselaars zijn vredestichters. Wij streven naar een betere wereld.'

'Door in te breken en door meisjes te slaan?'

De baron reageert geprikkeld.

'Meneer Simons. Ik ben ook geschrokken van het feit dat vrijmetselaars dit blijkbaar doen. U bent een christen. Het zou u ook tegenvallen als u door een medechristen bedrogen en bestolen werd. De meeste christenen zullen aardige lieden zijn. Maar ik steek niet voor alle christenen de handen in het vuur. Zij waren het ook die de kruistochten begonnen.'

'Ja, daar speelden de tempeliers een belangrijke rol in', kaatst vader terug.

Steven kijkt gespannen naar de baron. De edelman weet zich goed te beheersen.

'Zo komen we geen steek verder. Laat ik vertellen hoe ik denk dat het gegaan is. Op de begrafenis van Roberts vader waren veel vrijmetselaars aanwezig. Vooral van de loge van Groningen. Een van hen moet gehoord hebben dat ik naar de foto's informeerde en zelf op zoek zijn gegaan. Misschien heeft Roberts vader binnen de loge ooit zijn mond voorbij gepraat.'

Vader schudt zijn hoofd. 'Dan was er al veel eerder ingebroken.

Het is wel heel toevallig dat die Groningers pas tot actie overgaan als de foto's daadwerkelijk gevonden zijn.'

'Zouden ze eerder hebben ingebroken en toen afluisterapparatuur hebben geplaatst?' vraagt Steven zich hardop af. De anderen kijken hem aan.

Vader trekt zijn neus op. 'Dat lijkt me vergezocht. Die foto's konden nog jaren ergens in een doos liggen. Dan zou er hier ook afluisterapparatuur moeten zijn. De foto's werden hier gestolen. Het lijkt me sterk dat vrijmetselaars uit Groningen hier toevallig rondneusden toen de foto's opdoken. Je kunt mij een hoop wijsmaken, maar dat geloof ik niet.'

'Dat ben ik wel met je eens', zegt de baron. 'Maar blijkbaar slagen ze er toch op de een of andere manier in om ons in de gaten te houden.'

'Zou iemand van uw personeel fout kunnen zijn? Wie heeft het telefoontje van Robert aangenomen toen hij u belde?'

Jacques schudt zijn hoofd. 'Ik weet niet meer of ik zelf opgenomen heb, of dat mijn butler dat deed. Maar hij heeft het niet gedaan. De kok was niet aanwezig. De chauffeur zat met Robert in de auto, en mijn butler is door de inbreker neergeslagen. Het moet anders in elkaar zitten. Maar ik weet niet hoe.'

'Maar een ding is wel duidelijk', stelt vader vast. 'We hebben met een gewiekst stel kerels te maken. We hebben geen idee hoe gevaarlijk ze zijn.'

De baron kijkt naar Steven en Kirsten.

'Hebben jullie gezien of ze wapens bij zich hadden?'

'Nee', zegt Kirsten meteen. Steven denkt langer na. In een schouderholster kun je gemakkelijk een pistool onder je kleren verbergen. Maar zulke types lijken het hem niet. Zelfs de man met de heldere ogen niet.

'De mannen in Wapenveld hadden volgens mij geen wapens bij zich. Ze hadden allebei een pak aan. Ik zag een van hen. Hij zette net zijn hand in de zij. Je kon zijn overhemd zien. Als hij zo'n schouderholster om had gehad, dan had ik die vast wel gezien. Bij die man in de basiliek weet ik het niet zeker. Maar ik denk het niet. Dan had hij Kirsten geen duw hoeven te geven. Dan had hij zijn pistool kunnen trekken. Wij zouden hem dan echt wel die zak gegeven hebben, en dan waren we hem nooit achterna gehold.'

Hij aarzelt even. 'Zulke ... zulke kerels leken me het op de een of andere manier niet.'

'Wat bedoel je daarmee?' vraagt Jacques.

Steven zoekt even naar de goede woorden. 'Ik vind het geen professionals. Geen ervaren inbrekers. Ze kwamen op mij over alsof ze zoiets voor de eerste keer deden. Ook die man op de Koekelberg niet. Hij mepte wel om zich heen, maar toch leek dat af en toe meer op paniek, dan op iemand die zich altijd zo gedraagt.'

Vader tikt met zijn vinger op het glazen blad. 'Daar heb je wel een punt. Ik vind het ook knap dom dat ze die speldjes op hebben. Maar aan de andere kant: hoe kunnen ze zo ontzettend veel over ons weten? Misschien onderschatten we hen heel erg.'

'Ze kunnen wel met opzet die speldjes dragen', zegt Dusseljee. 'Om een vals spoor in de richting van de vrijmetselaars te leggen.'

'Dat geloof ik niet', zegt Steven. 'Die twee kerels in Wapenveld gingen ervan uit dat ze door niemand gezien zouden worden. De foto's waren toen ook nog maar net gestolen. Als ze uit Groningen moesten komen hadden ze nauwelijks tijd om hun inbraak voor te bereiden. Ik geloof dat die mannen die speldjes altijd dragen, en er niet aan gedacht hebben ze af te doen. Mama heeft ook altijd een kettinkje om met het hoop, geloof en liefdeteken eraan. Als zij plotseling zou moeten inbreken zou ze er ook niet bij nadenken om dat af te doen.'

Hij ziet dat Kirsten bewonderend naar hem kijkt. 'Dat heb je slim bedacht.'

De baron spreidt zijn armen. 'Zie je wel dat die kerels niet echt gevaarlijk zijn.'

'Dat is een veel te makkelijke conclusie. Waarom wilt u eigenlijk dat wij meedoen?' vraagt vader. 'U kunt zelf met uw personeel net zo veel bereiken. Bel de politie. Met deze aantekeningen kunt u wel nagaan waar die kerels ongeveer langsgaan. Laat de politie ze inrekenen.'

De baron reageert geprikkeld. Je kunt merken dat hij het niet gewend is dat er tegen hem in wordt gegaan.

'Zo veel personeel heb ik nu ook weer niet. Die kerels hebben een voorsprong. Zelfs met die aanwijzingen erbij zal het nog lastig genoeg worden om hen in te halen. Jullie laten merken dat jullie fantasie hebben. Die zullen we hard nodig hebben om de puzzels op te lossen. Ik ben sowieso nieuwsgierig hoe ver iemand kan komen die geen kennis van zaken heeft. De politie wil ik er niet bij hebben. Onze vaders moeten een reden hebben gehad om de schat verborgen te houden. Als we met de politie in zee gaan zullen we open kaart moeten spelen, en dat wil ik niet. Nog niet tenminste. Natuurlijk bel ik de politie als we in gevaar komen. Maar niet eerder. Al zou het ons nu lukken de politie op het spoor van die mannen te zetten. En al zou het hun lukken ze te pakken te krijgen. Wat schieten we daarmee op? Ze hebben weinig strafbaars gedaan. Het is ons woord tegen het hunne. Geloof me, op dit moment de politie inschakelen heeft geen enkele zin.'

Vader strijkt met zijn hand over zijn voorhoofd.

'Stel dat we zelf de achtervolging inzetten. Hoe stelt u zich dat dan voor?'

Jacques tikt op de prints. 'We volgen het spoor dat de oude monnik uitgezet heeft. We bestuderen de tekst. Ik kan het Oudfrans een beetje lezen, maar niet zo goed als onze vaders. Dat hoeft ook niet. De belangrijkste delen zijn onderstreept en vertaald in de bijlage. We weten de volgorde van de tekst. Kijk, hier op het eerste vel staat het woord 'Brugge' in de kantlijn. Daar begint het spoor. Daarnaast zullen de foto's ons helpen. Het display op jouw camera kan ons geweldig helpen. Daarmee kunnen we nagaan waar de oorspronkelijke foto's werden gemaakt en wat onze vaders werkelijk op de plaat wilden zetten.'

Hij kijkt op zijn horloge. 'Het is nu even over elf. Voor enen kunnen we in Brugge zijn. Als Herbert een beetje doorrijdt nog eerder. Onderweg kunnen we de tekst bestuderen. Vandaar zien we wel waar we terechtkomen.'

'En als we halverwege op die kerels stuiten? Als we hen inhalen komen we hen ergens tegen. Het kan bijna niet dat zij de schat gevonden en verwijderd hebben voor wij aankomen. Wat doen we dan?'

'We doen in ieder geval geen roekeloze dingen. We moeten proberen hen te ontlopen. Als we hen tegenkomen verstoppen we ons. Zij weten niet dat wij hen achterna komen. Ze weten niet dat zij niet de enigen zijn die afdrukken hebben. Ze zullen denken dat ze ons te slim af zijn geweest. Dat geeft ons een voordeel.'

'Wie zegt dat ze niet al lang weten dat wij wel nieuwe afdrukken hebben?' zegt Kirsten.

'Dat bestaat niet', zegt de baron overtuigd. 'Nou, wat zeggen jullie? Doen jullie mee?'

HOOFDSTUK 11

Het hospitaal van
de eenzame strijder

Vader kijkt naar Kirsten.

'Ik wil wel', zegt ze. 'Zo vaak krijg je de kans niet om een schat te vinden.'

'Steven?'

Steven aarzelt. Waarom hebben die vaders van Dusseljee en de baron de schat laten liggen waar hij lag? Misschien hadden ze er een heel gewone reden voor, maar ... aan de andere kant: hij wil ook geen spelbreker zijn. Hij ziet altijd veel te veel beren op de weg. Kom op, zeg. Er zijn vier volwassenen bij.

'Ik vind het best.'

Vader staat op. 'Ik bel eerst met mijn vrouw. Ik had haar al veel eerder moeten bellen. Ze zal inmiddels wel vreselijk ongerust zijn. Zij moet ook groen licht geven.'

Hij loopt naar de gang en trekt de deur achter zich dicht. De baron kijkt nog eens op zijn horloge en trekt de afdrukken van de kopieën naar zich toe. Hij legt ze op de goede volgorde naast elkaar en gaat op een van de stoelen zitten tegenover het bureau. Steven doet onwillekeurig een paar stappen naar voren. De baron ziet het en wijst op de andere stoel. 'We kunnen net zo goed beginnen met het bestuderen.'

Steven gaat zitten. Van de Franse tekst begrijpt hij zo goed als niets. Maar de baron wijst met zijn vinger. 'Zie je dat hier steeds hetzelfde omcirkeld is? In de tekst gaat het steeds over *combatans tot seuls*. Kijk maar. Hier, hier, hier en hier. *Combatans tot seuls solitair* betekent zoveel als "de eenzame strijder". Daar gaat het verhaal over. Een eenzame strijder die gewond terugkeert uit de strijd tegen *uns chevaliers moult biaus*, "de zeer mooie ridder". Dat is de eerste laag van het verhaal. Maar net als in een gelijkenis zit er in dit enigma een dubbele bodem. "De eenzame strijder" slaat op de tempelier, of de tempeliers die de schat naar België hebben gebracht. "De zeer mooie ridder" slaat op Filips de Schone. "Schoon" betekent hetzelfde als "mooi". Het is niet voor niets dat hij in het verhaal gewond is. Dat is weer een dubbele bodem en meteen de eerste aanwijzing naar de schat. Kijk maar, hier is een stuk in de tekst onderstreept. Ik weet wel zo veel van het Oudfrans dat ik kan zien dat wat hier staat hetzelfde is als wat in de bijlage staat.' Hij tikt op de print met de 'gedichtjes'. 'Hier staat het eerste enigma:

Gewond en bloedend op een hoge wagen werd de eenzame strijder van het slagveld gereden. Zijn wonden waren niet ongeneeslijk. Hij was vastbesloten te herstellen en in tijd of eeuwigheid zijn strijd tegen onrecht te hervatten. Onder de vleugels van de adelaar hoopt hij te herstellen van zijn wonden.'

'Daar snap ik dus helemaal niks van', zegt Kirsten.
'Hé, kijk eens', zegt Steven opgewonden. 'Hier staat "hoge wagen."'
'Precies', antwoordt de baron. '*Sor un char altain* betekent "op een hoge kar." Er staat hier dat de gewonde ridder op een hoge wagen van het slagveld gereden werd.'
Steven knipt met zijn vingers. 'Zei u niet dat de schat op een hooiwagen naar België werd gebracht? Een hooiwagen is een hoge kar.'
'Klopt. Zie je dat je al leert hoe je een enigma moet lezen? Wie de geschiedenis van de schat niet kent leest eroverheen. Wie wel van de schat weet, denkt bij het woord "hoge wagen" meteen

aan hooiwagen en dus aan de schat. Zeker als je bedenkt dat ridders niet op een hooiwagen van het slagveld werden gereden. Hier staat dat de wonden niet ongeneeslijk zijn.'

'Ze verwachtten dat de orde van de tempeliers hersteld zou worden', begrijpt Steven.

'Mag ik ook eens wat oplossen?' zegt Kirsten verongelijkt.

'Hier staat dat de ridder in tijd of eeuwigheid de strijd zal hervatten.'

'"Tijd of eeuwigheid", waar slaat dat op?'

'"Tijd" is je leven en "eeuwigheid" is je dood?' zegt Steven.

'Dat kan toch nooit', zegt Kirsten chagrijnig. 'Je kunt toch niet na je dood weer gaan vechten?'

Steven denkt dat hij het wel begrijpt, maar hij wil zijn zus niet het gevoel geven dat ze onnozel is. Dusseljee komt te hulp.

'Normaal valt er na je dood niet veel meer te vechten. Maar de monnik wist dat hij gauw zou sterven en dat deze brief pas na zijn dood door iemand zou worden begrepen.'

'Hmm', bromt Kirsten. 'Waarom kan ik zoiets niet verzinnen?'

'Enigma's begrijpen is heel moeilijk', zegt de baron. 'Hier staat dat de ridder onder de vleugels van de adelaar hoopt te herstellen.'

Kirsten kijkt naar Steven. Hij haalt zijn schouders op. 'Sorry, maar dat snap ik ook niet meteen. En volgend jaar ook nog niet.'

De kamerdeur zwaait open. Vader stapt binnen.

'Wat zei mam?' wil Kirsten weten.

'Ze is niet blij met de gang van zaken. Ze wilde hier per se naartoe komen, maar dat heb ik haar uit het hoofd weten te praten. We hebben de tijd niet om te wachten tot ze hier is. Ze vindt het goed dat we gaan, maar ze wil op de hoogte gehouden worden. En als het wel gevaarlijk lijkt te worden, moeten we meteen stoppen.'

Steven knikt begrijpend. 'Moeilijk voor haar, nu ze zo ver weg is. Ik sms haar straks wel, dan weet ze ook wat we doen. Pa, we zijn al bezig de enigma's op te lossen. Weet u wat het betekent als je herstelt onder de vleugels van een adelaar?'

Vader kijkt verbaasd. 'Pardon?'

'Ik weet wat de monnik bedoelt', zegt Jacques. 'De adelaar is het teken van Sint Jan. Bij jullie in Nederland beter bekend als de apostel Johannes. Herstellen doe je in een ziekenhuis. Die waren er in de middeleeuwen nog niet veel. Maar wel in Brugge. Daar had je het Sint Jans hospice. Dat was er toen al, en dat staat er nog steeds.'

De anderen kijken hem verbaasd aan. 'Hoe weet u dat?'

De baron tikt op de afdruk. 'Niet zo moeilijk. Hier staat in de kantlijn: St. Jan, Brugge. Ik ben een Vlaming. Iedere Vlaming kent de bekendste gebouwen van Vlaanderen. Je hoeft een Groninger niet te vragen of hij wel eens van de Martinitoren gehoord heeft. Dit eerste enigma was *peanuts*. Niet alleen voor ons, maar ook voor onze tegenstanders. Ik hoop niet dat alle raadsels zo makkelijk zijn. Iedereen klaar om naar Brugge te gaan?'

'Passen we in één auto?' wil vader weten.

'Ik heb een Maybach limousine waar we gemakkelijk allemaal in kunnen.'

'Is dat niet een beetje een erg opzichtige wagen?'

'Minder opzichtig dan bijvoorbeeld een Rolls Royce. Het voordeel is dat de wagen geblindeerde ruiten heeft. En we kunnen hem telkens een eindje uit de buurt parkeren. In deze wagen zitten we niet achter elkaar, maar tegenover elkaar. Zo kunnen we steeds overleggen en samen de enigma's oplossen. Kom mensen, we hebben geen tijd te verliezen.'

Hij wil al naar de deur lopen als hij zijn pas inhoudt. Hij koerst naar een van de boekenplanken en vist er een paar boeken uit met kleurige omslagen. Die geeft hij aan Steven. 'Kun jij die even bij je houden? Die konden we wel eens nodig hebben.'

Steven kijkt naar de omslagen. Er is een boek bij over Brugge, eentje over Gent en eentje over Vlaanderen.

Terwijl de baron hun voorgaat naar de gang zegt hij: 'We zullen er rekening mee moeten houden dat de wereld er anders uitzag rond 1340 toen het ridderverhaal oorspronkelijk geschreven werd. We moeten niet gaan zoeken in gebouwen die later zijn gebouwd. In die boeken staat vaak wel wanneer bepaalde gebouwen werden gemaakt.'

Vader knikt. ''t Is niet te hopen dat de schat ergens onder een gebouw ligt dat inmiddels is afgebroken. Dan komen we er nooit meer bij.'

'Dat is inderdaad niet te hopen', geeft de baron toe.

Steven vraagt zich af of dat misschien de reden is waarom de vaders de schat hebben laten liggen. Maar zouden ze er dan zo geheimzinnig over gedaan hebben?

In de gang belt Jacques mobiel zijn chauffeur en zegt hem de Maybach voor te rijden. Ze hoeven op het bordes dan ook niet lang te wachten voor de donkerblauwe wagen met de getinte ramen over het knarsende grind aan komt rijden. Kirsten fluit bewonderend. 'In zo'n ding wil ik trouwen.'

'Als we de schat vinden mag je me bellen als het zover is', zegt de baron glimlachend.

'Daar houd ik u aan!'

Steven voelt een jaloers steekje. Was hij maar zo adrem. Hij is dan misschien handiger in het oplossen van de enigma's, maar Kirsten met haar rappe tong ritselt even een limousine voor haar bruiloft. Zal hij vragen of hij dat ook mag? Hij zou niet durven, wat moet die man wel niet denken?

Ze lopen de brede trap af. Herbert houdt het portier open. Achterin zijn twee banken in een coupé-opstelling. De armleuningen zijn zo groot dat ze kleine tafeltjes vormen. Eigenlijk een klein vergaderzaaltje op wielen. Steven vermoedt dat de wagen daar ook wel voor gebruikt wordt. Vader en de baron gaan aan de ene kant zitten tegenover Kirsten en Steven. Robert

Dusseljee gaat naast Herbert voorin zitten. Steven laat zich in de leren stoel zakken. Wow man, dit is wel even wat anders dan hun oude Passat. Hij ziet links en rechts van zich vakjes en klepjes, maar hij durft er niet aan te komen.

'Woh, er zit een dvd-speler in mijn armleuning', zegt Kirsten. Ze heeft net het schermpje opengeklapt.

'Je kunt er meteen je trouwfoto's op bekijken', grinnikt de baron.

'Super! Ik bel u echt, hoor!'

Herbert sluit het portier. Steven ziet hem naar voren lopen. Grappig zulke ramen, als je buiten staat kun je niet zien wie er binnen zit, maar als je binnenzit, kun je probleemloos naar buiten kijken. Het glas is maar een tintje donkerder dan normaal glas. Het motorgeluid is niet meer dan een vaag brommen. Als ze even later over de rondweg om Brussel rijden zoeft de wagen geluidloos over de weg. Steven geniet van de rit. Kirsten hangt ook al als een prinses in haar stoel.

Jacques Vandermole pakt de kopieën en spreidt ze over de brede armleuning. 'Eens kijken of we nog meer kunnen ontdekken. We zijn nog wel even onderweg.'

Steven kijkt naar buiten. Hij is benieuwd hoe hard ze rijden. Omdat de motor nauwelijks geluid maakt lijkt het of ze zowat stilstaan, maar als je ziet met welke gang ze de rest van het verkeer inhalen, dan zou het hem niet verbazen als ze ver boven de 150 kilometer per uur rijden. Hoe hard mag je in België? Hoewel, de baron zal niet wakker liggen van een bekeuring van een paar honderd euro.

Jacques lijkt weer iets ontdekt te hebben.

'Moet je kijken. We hebben vier kopieën. Het hele verhaal staat op vier vellen perkament. Maar het verhaal is in drie stukken gedeeld. Drie en vier is zeven. Zeven is in de Bijbel een heilig getal, maar binnen de orde van de tempeliers ook. Ik vertelde jullie al dat de orde eigenlijk teruggaat naar de bouwmeesters van de tempel van Salomo. In die tempel stond de zevenarmige kandelaar. Drie is het getal van God: Vader, Zoon en Heilige Geest. En vier is het getal van de schepping en in het bijzonder van de mens. De vier elementen, vuur, lucht, aarde en water. De zevenarmige kandelaar in de tempel is het symbool van de band tussen God en de mensen. En nou moet je eens opletten. Op de vier vellen zijn zeven passages onderstreept. Zeven enigma´s die samen vertellen waar de schat zich bevindt. Niet te vinden voor wie er geen verstand van heeft, maar voor een tempelier zo helder als glas. Kijk op de bijlage, daar staan ook zeven vertalingen.' Vader buigt zich naar voren. ''t Is dat uw vader en de oude Dusseljee alles al voor ons onderstreept hebben. Anders was het heel wat lastiger om de aanwijzingen te vinden en te begrijpen. Dat moet een heidense klus zijn geweest. Wij krijgen de vertalingen op een presenteerblaadje aangereikt.'

'Absoluut. Zonder deze vertalingen zou ik ook in het duister tasten. Er zijn maar weinig mensen die dat Oudfrans kunnen lezen. En reken maar dat de enigma's er niet eenvoudiger op zullen worden als we de schat naderen. Ik heb goede hoop dat onze tegenstanders het spoor nog wel bijster raken. Of dat we hen in ieder geval op de hielen komen.'

'Wat doen wij eigenlijk als het ons lukt hen in te halen? Wat geldt voor hen, geldt ook voor ons. Wij kunnen de schat ook niet weghalen voordat zij hem ontdekt hebben. De kans is groot dat het een soort nek-aan-nekrace wordt. Tot nu toe zijn die kerels niet echt gevaarlijk, maar hoe ver zijn ze bereid te gaan als wij de schat eerder ontdekken?'

De baron trekt met zijn schouders. 'Da's koffiedik kijken.'

Vader kijkt de baron strak aan. 'Hoe ver bent u bereid te gaan?'

'Ik begrijp waar u op doelt. U bent bang dat als de schat onder onze neus weggekaapt dreigt te worden, ik onberekenbare dingen ga doen. Laat ik u geruststellen. Het gaat mij er niet om dat ik die schat wil hebben. Mijn vader zal een goede reden hebben gehad om hem te laten waar hij is. Het gaat mij er in de eerste plaats om dat anderen hem niet krijgen. Ik wil niet dat iemand de eer opeist die mijn vader toekomt. De tempeliers zullen niet alleen kostbaarheden in hun tempel hebben gehad, maar ook documenten met geheime informatie. We zijn het aan de oude tempeliers verplicht dat daar zorgvuldig mee om wordt gegaan.'

'Ik vroeg u hoe ver u bereid bent te gaan?'

De baron denkt even na. 'Ik heb er veel voor over. Maar ik wil niemand in gevaar brengen. Laten we dit afspreken. Jullie zijn vanaf nu in dienst van mij. Ik zal jullie goed betalen voor jullie hulp. Jullie kunnen uitstappen wanneer je maar wilt. Dus als u zelf het idee hebt dat ik roekeloze dingen doe, dan stopt u ermee. Wat er uiteindelijk met de schat gebeurt, bepaal ik. Met andere woorden: u kunt geen aanspraak maken op de zaken die we eventueel vinden.'

Steven schrikt van de besliste toon.

'Dus als we iets vinden krijgen wij niks?' vraagt Kirsten.

'Dat klopt', antwoordt de baron. 'Dat lijkt misschien onredelijk, maar dit is niet zo. Dit is geen piratenschat op een kokosnotenstrand. Dit is de schat van een geheim genootschap. Wij vrijmetselaars zijn de voortzetting van dat genootschap. Wat de tempeliers ook verborgen hebben, het waren zaken die ze verborgen wilden houden. En dat is ook mijn doel. Ik heb er grote moeite mee dat onze tegenstanders vrijmetselaars zijn. Het voelt als verraad vanuit je eigen gelederen. Maar ik heb nog hoop dat het betrouwbare mensen zijn die uiteindelijk hetzelfde doel voor ogen hebben als ik.'

Even valt er een stilte in de auto. Steven voelt spanning in de lucht hangen. De baron draait zijn hoofd. 'Ben jij ook akkoord, Robert? Of ben je het er niet mee eens?'

Robert lijkt even te aarzelen. 'Ik ben het wel met je eens. Het is aan mijn vader te danken dat de schat werd ontdekt. Ik vind dat hij daardoor aanspraak op een deel van de schat had kunnen maken. Maar hij heeft dat niet gedaan. Waarom, weet ik niet, maar hij zal er een reden voor hebben gehad. Het is de schuld van mijn vader dat we hier nu mee bezig zijn. Ik voel me daardoor moreel verplicht om mee te doen. Maar dat ik sta te trappelen om die kerels achterna te gaan, nee, dat kan ik niet zeggen.'

'Je hoeft niet mee te doen', zegt de baron onmiddellijk. 'Ik kan me best voorstellen dat je hier geen trek in hebt. Voor jou geldt hetzelfde als voor de familie Simons. Je kunt eruit stappen wanneer je wilt. Maar ik zou dat betreuren.'

'Ik doe mee', zegt Dusseljee. 'Ik hoop meer over mijn vader te weten te komen. Ik dacht dat ik een uitstekende band met hem had. Maar ik kom er nu achter dat hij een groot geheim met zich meedroeg. Hij heeft een schat ontdekt. Hij had rijk kunnen zijn, maar zag daarvan af. Toch moet hij trots geweest zijn op zijn ontdekking. Zelfs van de mislukte foto's kon hij geen afstand doen. Als ik nu uitstap, zal ik mijn leven lang met vragen rond blijven lopen. Nee, ik doe echt wel mee. Maar ik had dit liever alleen met jou gedaan zonder die kerels in ons kielzog.'

'Ook liever zonder ons?' durft Steven te vragen.

'Nee. Nu we toch in dit schuitje zitten ben ik blij dat jullie erbij zijn. Ik stel voor dat wij alles fotograferen, net als onze vaders deden. Zij moeten een reden gehad hebben om de foto's nooit te ontwikkelen. Misschien zullen wij straks ook alle foto's wissen, maar dan moet er wel een hele goede reden voor zijn. Jij, Jacques, gaat ervoor dat de schat verborgen blijft. Maar daar zul je me nog van moeten overtuigen.'

'Ben je bereid om de eindbeslissing daarover aan mij over te laten?'

'Wil je me anders niet mee hebben?'

'Dat zeg ik niet. Maar we kunnen daar beter nu uit zijn dan als we de schat daadwerkelijk ontdekt hebben.'

Robert is even stil.

'Goed', zegt hij ten slotte. 'Ik zal me uiteindelijk neerleggen bij jouw beslissing. Misschien heeft mijn vader dat vroeger ook wel gedaan bij jouw vader. Maar ik blijf erbij dat je niet zomaar kunt doen wat je wilt. Wij zijn niet jouw marionetten.'

De baron spreidt zijn handen.

'Zo zie ik jullie ook helemaal niet. Maar het gaat hier om een zaak die zo belangrijk is voor de vrijmetselarij en voor mijn familie dat ik de regie in handen wil houden.'

Robert buigt zich over de leuning van de stoel. 'Wat heeft jouw familie hiermee te maken?'

De baron aarzelt. 'Dat vertel ik nog wel eens.'

Maar daar neemt Dusseljee geen genoegen mee. 'Je verlangt van ons dat we loyaal zijn aan jou. Waarom speel jij dan geen open kaart?'

Steven voelt de spanning. Dusseljee durft wel, zeg.

'Laat me raden. U bent familie van die tempelier die de schat verstopt heeft', schettert Kirstens stem. 'Ja, ik gok maar wat, hoor.'

Steven ziet de ogen van de baron even opflikkeren. Hij kijkt van de een naar de ander. Hij wrijft over zijn kin. Zijn kaakspieren verstrakken.

'Ik heet Jacques Vandermole. Vinden jullie dat niet veel lijken op Jacques de Molay?'

HOOFDSTUK 12

Het enigma van het bloed

S teven schrikt. Hij herinnert zich wat de baron over Jacques de Molay vertelde. Op 13 oktober 1307 werden de tempeliers uitgeroeid. De grootmeester van de orde was Jacques de Molay. Zeven jaar lang hebben ze hem mishandeld om de verblijfplaats van de schat te verraden. Hij hield zijn mond en kwam op de brandstapel.

'Bent u een afstammeling van hem?'

De baron schudt zijn hoofd. 'Tempeliers mochten niet trouwen. Ze hebben geen kinderen. Ik stam af van zijn broer Abelaird de Molay. Waarschijnlijk is hij het die de schat uit de tempel liet halen en verstoppen. Hij is in ieder geval naar deze streken getrokken en heeft de familienaam veranderd. Begrijpen jullie nu waarom ik erop gebrand ben dat niemand zijn handen naar die schat uitsteekt? Iemand uit mijn voorgeslacht is er jarenlang voor gemarteld. Mijn verre voorvader heeft de schat verstopt. Eeuwenlang zijn die geheimen bewaard. En ik laat er geen stelletje gelukzoekende vrijmetselaarsgezellen mee weglopen.'

Het wordt stil in de wagen. Steven kijkt naar de volwassenen. Het gaat om veel meer dan een kist vol met munten. Moeten ze hier wel aan meedoen? Maar misschien kan de baron hun hulp juist goed gebruiken.

'Ik begrijp het', zegt Dusseljee ten slotte. Je hebt me volkomen overtuigd. Wat er met de schat gebeurt, bepaal jij en jij alleen.'

Jacques Vandermole haalt hoorbaar adem. 'We kunnen net zo goed het tweede enigma eens bekijken.'

Hij verschuift de kopieën. Dan pakt hij de kopie met de vertaalde enigma's.

'Dat is al een stuk minder duidelijk. Luister maar eens:

Eenzaam, eenzaam, eenzaam. De eenzame strijder voelt zich verlaten als hij die zijn bloed gaf in de vlammen. Hij voelt zich als de blanke verlatene die de weg wijst buiten de poort. Bij de poort van de verlatene die zijn bloed gaf in de strijd op de berg om de weg te wijzen.'

'Poeh', zucht Kirsten. 'Dat slaat echt helemaal nergens op.'

'Kunt u dat niet eens opschrijven?' stelt vader voor. 'Die zinnen zijn zo ingewikkeld dat je ze niet eens kunt onthouden. Heeft Roberts vader er niets naast geschreven?'

De baron tast in de binnenzak van zijn jasje. 'Er staat haast niets naast. Het woord "eenzaam", *seulet*, is omcirkeld en er staat naast: "sleutelwoord". En het woord *sanc*, dat betekent "bloed", is omcirkeld, maar daar staat niets bij.'

'Wat is een sleutelwoord?' wil Kirsten weten.

'Een extra belangrijk woord', zegt de baron. 'Zoals je een sleutel nodig hebt om een deur te openen, zo heb je een sleutelwoord nodig om de betekenis te kunnen begrijpen.'

'De eenzame strijder is de hoofdpersoon uit het verhaal', zegt Steven. 'Dat wisten we al. Dat zou dus uw voorvader Abelaird kunnen zijn. Hij voelt zich verlaten als hij die zijn bloed gaf in de vlammen. Zou dat op Jacques de Molay kunnen slaan?'

'Tjonge', zegt vader bewonderend. 'Jij bent er echt goed in. Je hebt vast gelijk.'

Steven voelt een blos over zijn wangen trekken. Kirsten kijkt uit het raam. Zijn zus is hem vaak de baas, maar deze keer niet.

'Wat stond er nog meer?' wil Dusseljee weten.

De baron draait de print om en begint te schrijven. 'Drie keer het woord "eenzaam". Dat is een belangrijk woord. De drie zinnen daarna gaan over drie verschillende personen. Alle drie zijn ze eenzaam. Eerst de hoofdpersoon, waarschijnlijk de broer van Abelaird die eenzaam stierf in de vlammen. Dan de blanke verlatene die buiten de poort de weg wijst. De weg wijst. Dat begint erop te lijken. De derde persoon is in de buurt van dezelfde poort. Een eenzame verlatene die zijn bloed gaf in de strijd op de berg om de weg te wijzen. En bij deze persoon is bloed blijkbaar extra belangrijk.'

'Blanke verlatene?' zegt Kirsten. 'Hadden ze hier in de middeleeuwen dan al blanke en zwarte mensen?'

'Dat is een slimme opmerking', vindt de baron. 'Ik denk dat je hier bij blank niet aan huidskleur moet denken. Maar aan wit of schoon.'

'Filips de Schone!'

Kirsten kijkt triomfantelijk om zich heen.

'Dat lijkt me niet. Voor "schone" wordt een heel ander woord gebruikt.'

Kirstens mondhoeken zakken naar beneden. Steven glimlacht. Blijkbaar ziet Kirsten het. Ze steekt venijnig haar tong uit.

'Hé,' zegt vader, 'zou het op die cisterciënzermonnik kunnen slaan? Wat voor kleur kleding hadden die?'

'Wit met zwarte kappen. Zou dus kunnen. Buiten de poort de weg wijzen? Zouden we buiten de stad moeten zijn?'

'Maar eerst moeten we in de stad zijn', zegt Herbert laconiek. 'We rijden Brugge binnen. Waar wilt u dat ik heen rij?'

'Het Sint-Janshospitaal. Kun je daar in de buurt komen?'

'Gaan we proberen.'

Herbert rijdt de Maybach 72 Brugge binnen. Steven ziet dat veel mensen met bewonderende blikken in hun richting kijken. Hijzelf heeft meer oog voor de middeleeuwse stad. Dit is geweldig. Zo'n verzameling van geveltjes en torentjes heeft hij nog nooit bij elkaar gezien. Als je de auto's en de mensen in moderne kleren wegdenkt, lijkt het of je in een tijdmachine zit. Het navigatiesysteem van de wagen loodst hen recht op hun doel af. Het valt niet mee om met de grote wagen in de buurt van het oude hospitaal te komen, maar Herbert weet wat hij doet. Vlak naast de Onze-Lieve-Vrouwekerk vindt hij een plek waar hij kan stoppen.

'Misschien kunnen jullie hier uitstappen. Ik mag hier niet staan. Ik zoek een plekje buiten het centrum. Als u me belt, ben ik in no time bij jullie terug.'

'Da's waarschijnlijk het beste', zegt Jacques terwijl hij de foto's en afdrukken bij elkaar pakt. 'Doe dat maar.'

Alle vijf stappen ze uit de wagen. Steven pakt de boekjes over Brugge. Hij heeft al gezien dat er foto's en kaarten in staan. Zo'n plattegrondje kan nog wel eens van pas komen. Hij kijkt bij de inhoud of de Sint Jan er ook in staat. Dat blijkt het geval. Steven bladert naar de juiste pagina.

'Dat is het', zegt hij wijzend naar de overkant van de nauwe straat tussen de kerk en het hospitaal. Het geeft hem een goed gevoel. Hij snapt die enigma's een beetje en in deze gidsjes staat misschien ook het een en ander. De baron houdt de stapel foto's voor zich.

'Liggen ze op de goede volgorde?'

'Ja, ik heb ze op de schijf gezet op dezelfde volgorde als op het oorspronkelijke rolletje.'

'Mooi. De eerste is dus waarschijnlijk hier gemaakt. Maar het kunnen er ook meer zijn. Of ze zijn later pas begonnen met het maken van de foto's. Dat moeten we uitzoeken.'

Vandermole deelt de eerste vijf foto's uit. Elk krijgen ze er eentje.

'Kijk goed om je heen of je iets ziet dat op deze foto's staat. Vooral die van jou, Kirsten, is behoorlijk duidelijk. Kijk, achter dat oor zie je vaag een baldakijntje met een beeld eronder.'

Steven kijkt naar zijn foto. Een wazig oor en een bakstenen

muur. Dat vindt hij nooit. Alles is hier van bakstenen. Vader geeft zijn foto aan Steven. 'Hier zie je nog een stukje van een trapje of zoiets. Ik ga liever foto's maken.'

Hij schiet een plaatje van de kleine toegangspoort. De poort geeft toegang tot een gangetje. Een eind verderop is een gevelsteen ingemetseld met een spreuk erop. Vader zet het erop.

'Kijk niet alleen naar de gebouwen', zegt Robert Dusseljee. 'Misschien zijn die kerels hier ook nog wel. We weten niet hoe ver ze voor liggen.'

Het beklemt Steven. Dusseljee heeft gelijk!

Door een tweede poortje komen ze op een binnenplein. Steven kijkt schichtig om de hoek. Het pleintje is zo goed als leeg. Een ouder echtpaar zit op een bankje iets uit een papieren zak te eten.

'Hé', zegt Kirsten. 'Volgens mij is dit het poppetje dat op mijn foto staat.'

Op de hoeken aan weerskanten van het poortgebouw staan twee kleine beelden onder sierlijke stenen afdakjes. Kirsten houdt de foto ernaast.

'Yep. Dat is hem. Ze hebben een foto van de poort gemaakt.'

'Dat hebben ze wel gedaan,' zegt pa, 'maar dat was niet hun bedoeling.' Hij draait zijn camera om en richt hem op zijn oor. 'Kijk eens in het display.'

De anderen buigen zich naar hem toe.

'Vader heeft meer daar bij dat standbeeld gestaan', wijst Dusseljee. 'De hoek is anders.'

Vader draait een cirkel met zijn rug naar het poortgebouw. De anderen lopen langzaam met hem mee. Dusseljee staat recht tegenover hem en houdt het display in de gaten. 'Ja, je bent er bijna. Nog een paar stappen.'

Hij neemt de foto van Kirsten over en houdt hem naast vaders toestel. 'Nou?'

'Klopt helemaal', zegt Kirsten. Vader blijft stokstijf staan, draait

zijn camera en drukt af. Dan toont hij de anderen de display.
'Dit wilden ze op de foto zetten.'

Steven ziet dat het een plaatje is van het hoofdgebouw. Hij bladert in de reisgids. Daarin staat vrijwel precies dezelfde foto. Hij laat de foto aan de anderen zien.

De baron knikt. 'Het bekende plaatje.'

'Waarom?' vraagt Steven zich hardop af.

'Ik denk dat we er niet te veel achter moeten zoeken. In het verhaal van de eenzame strijder wordt het hospitaal ook alleen maar genoemd om de schatzoeker te vertellen dat hij in Brugge moet beginnen. Deze foto vertelt hetzelfde. Waarschijnlijk zijn de volgende foto's interessanter. Maar die zijn zo vaag dat we wel nooit zullen achterhalen waar ze zijn gemaakt. Pas de vijfde of de zesde foto is weer wat duidelijker. We moeten het volgende enigma oplossen.'

De baron laat nog eens de drie zinnetjes zien die hij opgeschreven heeft. Ze gissen wat, maar komen niet veel verder. De eenzame blanke, de strijder op de berg. In Vlaanderen zijn geen bergen. Kirsten is de eerste die er genoeg van heeft.

'Ik ga die mensen vragen of ze hier ook drie mannen in pakken hebben gezien.'

Steven vindt dat nog niet zo'n gek idee. Je kunt een enigma oplossen, maar als je die kerels op het spoor komt, leiden zij je misschien in de goede richting. Hij loopt op een afstandje achter Kirsten aan. Laat zij maar vragen.

'Dag meneer, mevrouw, mag ik u iets vragen?'

'Jawel meiske, zeker.'

'Hebt u hier misschien drie mannen gezien met nette pakken aan?'

De oude man en vrouw kijken elkaar aan.

'Nee', zegt de vrouw. 'Maar we zitten hier nog maar net. Je zult even iemand anders moeten vragen.'

'Geeft niks, dank u wel.'

Kirsten draait zich om. 'Zit hier niet ergens een kaartjesverko-per?'

Steven schudt zijn hoofd. 'Iedereen kan hier zo binnen lopen.'

Kirsten kijkt eens om zich heen. 'In die kerk dan? Daar komen vast meer mensen.'

'De Onze-Lieve-Vrouwekerk?'

'Weet ik hoe dat ding heet? Die met die joekel van een toren. Moet je zien, dat ding steekt overal bovenuit.'

Stevens mobiel tingelt. Vlug vist hij het apparaatje uit zijn zak. Sms'je van moeder Esther.

'Hoe gaat het bij jullie?'

Steven glimlacht. Hun achtervolging begint op een spannend avontuur te lijken.

Vlug sms't hij terug.

'Prima. Zijn in Brugge. Spoor begint hier. Spannend en leuk.'

Spannend en leuk? Klopt dat eigenlijk wel? Is het niet gevaar-lijk? Nou ja, hij hoeft ma ook niet onnodig ongerust te maken.

Er valt een spatje regen naar beneden. Kirsten staat met haar handen in de zak naar de kerktoren te kijken. Ze veegt net een druppel van haar neus.

'Mogen wij even in die kerk gaan kijken? Misschien heeft iemand daar die mannen gezien.'

Vader kijkt wat zuinig. 'Ik vind dat we bij elkaar moeten blijven.'

'Het begint te regenen', zegt de baron. 'Laten we allemaal naar de kerk gaan. Daar zitten we droog.' Hij pakt de foto's bij elkaar. Samen lopen ze het poortje door naar de Sint-Katelijnestraat. Ze steken over en gaan door de zijdeur de Onze-Lieve-Vrouwekerk binnen. Het interieur is overweldigend mooi. Zou dit er al gestaan hebben in de tijd van de tempeliers? Steven bladert in de reisgids. Al gauw heeft hij de bladzijden gevonden waarop de kathedraal beschreven wordt. Begin van de bouw pas in de der-tiende eeuw, maar pas eeuwen later kreeg hij de huidige vorm. Deze kerk stond er dus nog niet. Dan zullen die kerels hier ook wel niet geweest zijn. Hoewel, misschien weten die mannen niet dat deze kerk er nog niet was. Hij ziet dat Kirsten naar een vrouw achter een balie loopt. In een van de kapellen heeft ze een religieus souvenirwinkeltje. Vlug loopt hij in haar richting. Dat heeft ze slim bekeken. Als iemand in de kerk de mannen heeft gezien dan is zij het wel.

'Dag mevrouw, mag ik wat vragen?'

'Jawel, zeg het maar.'

'Wij zijn op zoek naar drie mannen die hier misschien zijn geweest. Twee met donkergrijze pakken en eentje met een wit pak. Hebt u die misschien gezien?'

'Had die man met dat witte pak kort blond haar en van die blauwe ogen?'

Steven weet niet wat hij hoort. Kirsten kijkt naar hem. 'Klopt, hè?'

'Ja ... ja', stamelt hij. Spannend en leuk? Dit is helemaal niet leuk. De kerels zijn vlak in de buurt.

'Hoe lang is het geleden dat ze hier waren?' vraagt Kirsten. In haar stem klinkt opwinding, geen angst. Zou zij nooit bang zijn? Of is dat bluf?

De vrouw schuift haar mouw terug en kijkt op haar horloge.

'Een uurtje misschien. Maar het waren er geen drie. Ze waren met z'n vieren. Er was ook nog een man met grijs haar bij. Die had een grijs pak aan. Hij had een leren tas aan een draagband bij zich. Daarom vielen ze me op. Ik dacht dat het van die Jehova's getuigen waren.'

'Hebt u gezien wat ze deden in de kerk?'

'Zeker, rare snoeshanen, hoor. Ze kwamen recht op me af en vroegen of er hier afbeeldingen van de bloedende Christus zijn. Alsof er een katholieke kerk bestaat waar ze die niet hebben. Ik heb ze maar naar het hoogaltaar gestuurd. Maar waarom wil je dat weten? Kennen jullie die mannen?'

Steven schrikt. Wat moeten ze nou zeggen?

'Het zijn collega's van mijn vader', zegt Kirsten meteen. 'Ze zijn op een studiereis. Maar we zijn ze kwijtgeraakt. Hebben ze nog gezegd waar ze heen gingen?'

'Nee', zegt de vrouw. 'Volgens mij zijn ze naar de volgende kerk gegaan. Ik heb hun aangeraden een reisgidsje te kopen zoals jij daar in je hand hebt. Dat hebben ze gedaan. Ze hebben daar op een bank gezeten en erin gelezen. Blijkbaar vonden ze wat ze zochten. Ze wezen tenminste in het boekje en spraken opgewonden. Wat ze zeiden kon ik niet verstaan, maar ze waren in een paar tellen verdwenen.'

Steven en Kirsten groeten de vrouw en lopen naar de drie mannen die een eind verderop in het middenschip zitten.

'Hoe verzon je zo snel dat het zogenaamd collega's van pa waren?'

Kirsten haalt haar schouders op. 'Weet ik niet. Soms heb ik dat. We weten nu dat we die kerels al vlak op de hielen zitten.'

Ze bereiken de anderen.

'Die mannen zijn hier een uur geleden geweest.'

'Ze zijn niet meer met z'n drieën maar met z'n vieren.'

De volwassenen kijken verbaasd op.

'Hoe weten jullie dat?'

Kirsten duimt over haar schouder. 'Die vrouw heeft ze gezien.'

'En wat deden ze?

Ze waren op zoek naar afbeeldingen van de bloedende Christus.'

'Bloedende Christus?'

'Dat is het', zegt Dusseljee. Hij slaat met zijn platte hand tegen zijn voorhoofd. 'De eenzame strijder die op de berg zijn bloed gaf om de weg te wijzen. Dat is Jezus. Hij was eenzaam, de mensen wilden zijn dood. Zelfs God de Vader liet Hem in de steek. Hij stierf op de berg Golgotha. En hij wees de weg. Hij zegt van zichzelf immers: Ik ben de Weg en de Waarheid en het Leven. En Golgotha lag buiten de poort.'

'Daar kon je wel eens gelijk in hebben', prijst vader Ton. 'Maar daar komen we niet zo veel verder mee. In iedere kerk vind je afbeeldingen van Christus. En als ik zo even in de gauwigheid om me heen gekeken heb, dan zijn er nogal wat kerken in Brugge.'

De baron spreidt de kopieën. 'Er moeten meer aanwijzingen zijn. Christus slaat op een kerk, maar welke? De blanke verlatene. Bestaat er een witte kerk die apart staat van de anderen?'

Steven begint te bladeren in zijn reisgidsje. Hij ziet geen afbeelding van een witte kerk. Hij slaat de inhoudsopgave achter in het boek open. Daar staan alle kerken van Brugge op een rij. Ineens worden zijn ogen groot. Snel begint hij te bladeren.

HOOFDSTUK 13

De kroon van de reus

'Volgens mij heb ik iets.'
Steven slaat het boekje open op bladzijde 15. Klopt dat wel? Een strakke gevel in de hoek van een plein. Hij slaat het blad om. Twee gouden engelen houden een glazen kokertje vast waar een stukje groezelig doek in lijkt te liggen. Snel begint hij te lezen. Dan wijst hij op de bladzijde.
'Gebouwd in de twaalfde eeuw. Dat is tussen 1100 en 1200. Het stond er dus al.'
'Waar heb je het over?' vraagt Kirsten.
'De Basiliek van het Heilig Bloed. Kijk, hier. In deze kerk worden een paar druppels bloed van Jezus bewaard.'
Kirsten schudt haar hoofd. 'Wahaa, dat kan nooit. Dat is toch al lang niet goed meer?'
'Of het echt is of niet maakt niet uit. Het past in het enigma.'
Vader wijst op de kopie. 'Daarom is het woord bloed omcirkeld. Dat is een sleutelwoord.'
'Zullen we Herbert bellen?' stelt Robert Dusseljee voor.
'We kunnen beter gaan lopen', zegt de baron. 'Het is maar klein stukje langs het water.'
Ze lopen vlug de kerk uit. Voor de kerk stappen net een paar toeristen uit een koetsje.
'Da's nog beter', besluit de baron. 'Die koetsiers zijn brutale jongens. Die jakkeren overal tussendoor.' Hij steekt zijn hand op. De koetsier glimlacht. Maar als ze dichterbij komen, betrekt het gezicht van de koetsier.
'Ik mag maar vier personen meenemen.'

De baron trekt met een grimmig gezicht zijn portemonnee. Steven ziet dat hij er twee biljetten van vijftig uit haalt. Dat duwt hij de koetsier in handen.

'Zeur niet. We zijn met drie hele en twee halve personen. Zo snel mogelijk naar de Basiliek van het Heilig Bloed.'

De man moffelt de biljetten in zijn borstzakje. 'Instappen.'

Ze zitten nog maar net als de koetsier al met zijn tong klakt. Steven valt in de zachte leren bank. Hij ruikt de geur van het paard. Niet lekker, maar het ritje heeft wel wat. Steven voelt iets van de opwinding terugkomen. Ze zitten weer op het goede spoor. De koetsier manoeuvreert handig tussen de mensen door. De meesten gaan al aan de kant als ze achter zich de wielen over de kasseien horen ratelen. Ze rijden langs het water waar een rondvaartboot net de bocht om vaart. Echt druk is het niet vandaag. De boot zit maar halfvol. Ze denderen een oude stenen brug over. De koetsier wendt zich in hun richting.

'We zijn nu in de Ezelstraat. Straks links op het plein in de hoek ziet u de basiliek. Maar u zit nog geen vijf minuten in mijn koets. Weet u zeker dat u er daar al uit wilt?'

'Ja', zegt de baron kortaf.

De menner haalt zijn schouders op. 'De klant is koning.' Hij rijdt de koets tot vlak voor de basiliek. Zijn gasten stappen uit.

'Uitkijken', zegt Jacques. 'Ze kunnen best nog binnen zijn.'

Steven kijkt op z'n horloge. Het is nog geen halfdrie. Hij schudt zijn hoofd. Het is nog geen tien uur geleden dat ze uit huis zijn vertrokken. Hij heeft in zijn hele leven nog nooit zo veel beleefd in zo'n korte tijd. Leuk? Spannend? Hij weet het niet meer.

De Basiliek van het Heilig Bloed lijkt aan de buitenkant helemaal niet op een kerk. De strakke voorgevel met de vergulde beelden geeft het gebouw de uitstraling van een woonhuis van een rijke middeleeuwer. Als ze binnen stappen, komen ze in een hal waar een zwartmarmeren trap naar boven voert.

Steven loopt als laatste achter de anderen aan. De brede trap voert hen naar een hal op de eerste verdieping. Als ze daar staan, ziet Steven dat de gevel buiten alleen maar het trappenhuis siert. De eigenlijke kerk ligt er ver achter. Via een klein gangetje stappen ze de zaal binnen. Het is er ongewoon druk. Stevens ogen glijden over de massa mensen in de kerkzaal. Hij ziet de vier mannen niet. Wel ziet hij mensen in de rij staan. Wat is hier aan de hand?

Er klinkt een stem door een luidspreker.

'Het heilige bloed zal nog ongeveer tien minuten getoond worden. Willen zij die het heilige bloed willen eren nu aansluiten in de rij?'

Een paar mensen staan op en sluiten aan bij de wachtenden. Steven probeert te zien waar de mensen eigenlijk voor in de rij staan. Aan de oostwand van de basiliek staat iets wat lijkt op een reusachtige preekstoel. Een verhoging met twee witte trappen. Erboven is een houten, rijk versierd afdak. Een baldakijn. Daaronder aan de wand een beeld van de gekruisigde Christus. Een opvallend wit beeld. Zou dat de blanke verlatene zijn? Op de verhoging zitten twee geestelijken. Een man van een jaar of vijftig. Hij spreekt in de microfoon. Voor hem staat een offerschaal. De andere geestelijke is een vrouw. Ze draagt witte handschoenen. Voor haar ligt een rood kussen. Daarop ligt een glazen koker van een centimeter of dertig lang. De beide uiteinden zijn gevat in goud. De vrouw houdt met één hand een uiteinde van het kokertje vast. In de andere hand heeft ze een doekje.

Een voor een klimmen de mensen die in de rij staan het trapje op. Ze leggen wat geld op de offerschaal. De geestelijke knikt.

Een man legt zijn hand op het buisje en slaat een kruis. Dan loopt hij via het andere trapje weg. De vrouw veegt even over het buisje. Een vrouw legt een biljet neer. Knielt voor het buisje, drukt er een kus op, en haast zich dan het trapje af. De geestelijke veegt met het doekje en wenkt de volgende.

'Nog een paar minuten, dan komt er een einde aan de ceremonie. Pas volgende week vrijdag zal het heilige bloed opnieuw worden getoond.'

Steven loopt dichterbij. Hij tuurt naar het glazen buisje, het lijkt of er een doek in zit. Of iets wat op watten lijkt. Er zitten roodbruine vlekken op. Zou dat echt bloed zijn van Jezus? Zou je daarmee Jezus' DNA vast kunnen stellen?

Als hij zich omdraait, ziet hij dat de anderen met foto's in de hand aan het speuren zijn. Hij loopt naar vader. 'Kunt u iets vinden?'

Vader schudt zijn hoofd. 'De foto's met bakstenen muren hebben we eruit gegooid. Maar de eerste foto's waar iets anders op te zien is, lijken buiten genomen. Ik denk dat we hier voor niks aan het zoeken zijn. Zie jij iets dat een blanke verlatene kan zijn?'

Steven wijst naar het Christusbeeld onder het baldakijn. Vader trekt een grimas. 'Dat lijkt me sterk. Er staat in het enigma drie keer het woord "eenzaam". Ik denk dat er over drie verschillende zaken wordt gesproken. Die laatste regel van dat bloed op de berg, dat slaat vast op deze kerk. Maar die blanke verlatene, dat is volgens mij iets anders.'

Steven probeert zich de zin te herinneren. De blanke verlatene buiten de poort. Buiten de poort. Buiten de stad? Of buiten dit gebouw?

Hij knipt met zijn vingers.

'Buiten de poort. De blanke verlatene staat buiten de poort. We moeten naar buiten. De foto's wijzen ook in die richting!'

'Nou,' geeft pa toe, 'daar kon je best eens gelijk in hebben.'

Samen lopen ze naar de baron en Dusseljee, die de gebrandschilderde ramen bestuderen. Kirsten zit onderuitgezakt in een van de kerkbanken.

'Moet je niet helpen?' vraagt Steven.

'Ik help toch. Ik houd de ingang in de gaten. Voor als die kerels opduiken.'

'Dan kun je toch intussen wel nadenken over de verlaten blanke?'

'Wie zegt dat ik dat niet doe? Kun jij gedachten lezen?'

Steven haalt zijn schouders op. Geen zin in een oeverloze discussie met Kirsten. Van meiden win je toch nooit.

'Ik denk dat we buiten moeten zijn.'

'Dat denk ik ook', zegt Kirsten. 'Die schat ligt echt niet hier. 't Is hier veel te druk.'

'Ben jij niet bang?'

'Neuh, waar moet ik bang voor zijn?'

'Als die kerels opduiken?'

'Volgens mij kunnen we hen wel aan. Ik vond ze er niet echt gevaarlijk uitzien.'

'En als ze nou wel gevaarlijk zijn?'

Kirsten kijkt hem boos aan.

'Daar wil ik niet aan denken. Dat zet ik gewoon uit mijn hoofd. Dat zou jij ook moeten doen. Jij maakt je altijd van tevoren overal zorgen over.'

'Vind je dat echt?'

'Ja, dat vind ik echt. Jij denkt dat de schat gevaarlijk is. Dat die mannen hem daarom hebben laten liggen. Door zulke dingen te zeggen maak je me bang.'

'Je zei net dat je niet bang was?'

Kirsten is even stil.

'Ik probeer niet bang te zijn. Ik denk positief. Wij zijn met meer. Wij zijn sterker. Zoeken naar een schat is spannend. En we kunnen ermee ophouden wanneer we willen.'

'Misschien heb je wel gelijk.'

Kirsten kijkt hem aan en schudt haar hoofd. 'Je moet zeggen: "natuurlijk heb je gelijk". Dan denk je positief.'

'Zou je denken?'

'Jij kunt het echt niet, negatieveling!'

De drie volwassenen komen in hun richting.

'Zullen we eens buiten gaan kijken?' stelt de baron voor.

Steven knikt. Kirsten springt overeind. Als eerste loopt Steven de trap af. Hij is dan ook de eerste die de onderste hal bereikt. Als een blok blijft hij staan. Langzaam loopt hij achteruit. Hij heft zijn hand op. Kirsten die achter hem loopt, botst haast tegen hem op. 'Wat mankeert je nou weer?'

'Stt, kijk.'

Buiten staan de vier mannen. De man in het witte pak houdt een van de gestolen kopieën in zijn handen. Zijn ogen glijden over de gevel. Naast hem staan de twee mannen die bij Dusseljee ingebroken hebben. Ze kijken in het reisgidsje dat ze in de Onze-Lieve-Vrouwekerk gekocht hebben. Naast de man in het witte pak zien ze de vierde man. Steven schat hem op een jaar of zestig. Hij heeft een verweerd gezicht, een scherpe neus en een opvallende bos lichtgrijs haar, bijna wit. Hij staat met de handen in de zij naar de gevel te kijken.

'Wat is er?' Vader komt naast hem staan.

Steven wijst. 'Daar is die vent van de Koekelberg.'

Onwillekeurig doen ze een pas achteruit. Vader draait zich om. 'Die kerels staan hier recht voor de deur.'

De baron en Dusseljee kijken naar buiten.

'Deze hal is nogal donker', meent Dusseljee. 'Ze zullen ons niet zo gauw zien. Maar dan moeten we hier wel blijven staan.'

'Moeten we nu de politie niet bellen?' oppert Steven.

'Dat heeft geen zin. Ze doen niets strafbaars. Is die vent in het wit de man die jullie in de kathedraal gezien hebben?'

Steven knikt. 'De mannen die in dat gidsje lezen zijn de mannen die bij meneer Dusseljee ingebroken hebben. Die man met dat witte haar hoort er vast ook bij.'

Jacques Vandermole zakt iets door zijn knieën zodat hij beter naar buiten kan kijken. 'Die man met dat witte haar heb ik eerder gezien. Maar waar?'

Ze zien dat de man in het witte pak ineens ergens naar wijst. De anderen komen om hem heen staan. Het lijkt of hij iets uitlegt. Hij tikt op de gestolen kopie. De anderen knikken. De grijze man wijst naar de gevel en dan met zijn wijsvinger naar beneden voor zich. De anderen knikken weer. Ze pakken het papier erbij. De man in het witte pak leest iets voor, terwijl hij met zijn vinger bijwijst. Hij wijst naar een punt rechts van hen. Hij vouwt het papier op en steekt het in zijn binnenzak. Dan benen de vier mannen het plein af.

De baron haast zich de trap af. Hij duidt de anderen binnen te blijven. Hij pakt de deurpost vast en kijkt om de hoek. Even later wenkt hij zijn metgezellen. Als Steven naar buiten stapt, ziet hij de vier mannen nergens meer.

'Ze zijn daar die straat ingeslagen. Daarachter ligt de markt met de lakenhal.'

'Moeten we hen achterna?'

De baron aarzelt. 'We kunnen hen misschien nu inhalen, maar als we de enigma's niet oplossen, raken we vroeg of laat het spoor bijster. Waar keken die kerels eigenlijk naar?'

Stevens blik glijdt over de gevel. Op de gevel staan twee rijen van vier vergulde beelden. Maar daar keken de mannen niet naar. Die wezen naar iets rechts van de ingang. Daar is nog een poort in de gevel. Erboven staat een witmarmeren beeld. Een ridder met gebogen hoofd leunend op een zwaard dat met de punt op de grond staat. De blanke verlatene buiten de poort!

'Daar staat hij. Kijk maar!'

De anderen kijken ook. 'Wat bedoel je?'

'Kijk eens naar dat beeld. Het staat apart van de andere acht. Hij staat er alleen en verlaten bij. Het beeld is ook verreweg het lichtst van alle beelden. Hij staat buiten de poort. En ... eh ... hoe hij de weg wijst dat weet ik niet.'

'Je hebt gelijk. Dat moet het zijn.'

Maar hoe wijst dit beeld de weg?

Dusseljee wijst. 'Dat zwaard zou een soort wegwijzer kunnen zijn. Het wijst met de punt naar beneden. Dat zou kunnen betekenen dat de schat begraven is, of zich in ieder geval onder de grond bevindt.'

'Hier onder het plein?' vraagt Kirsten opgewonden.

'Dat hoeft niet. De enigma's geven aanwijzingen. Het eerste betekende: begin in Brugge. Enigma twee zou kunnen betekenen: houd er rekening mee dat de schat in de diepte ligt. Onder de grond of in een kelder.'

Vader bladert tussen de foto's. Hij vist er eentje uit.

'Kijk deze eens. Achter de oren zie je geveltjes. Ze zijn vrij wazig, maar volgens mij zijn het de geveltjes daar aan de overkant. Dat betekent dus dat de vaders van Jacques en Robert foto's wilden maken van deze gevel. We zitten nog steeds op het goede spoor.' Vlug neemt hij zelf nog een paar foto's.

Kirsten wijst naar de hoek van het plein. 'Die kerels wisten zeker al waar ze heen moesten. Wat staat er in het derde enigma?'

De baron haalt de papieren uit zijn binnenzak. Hij vouwt de vellen open. Zijn ogen glijden over de regels.

'Hier staat eerst dat de eenzame strijder herstelt van zijn wonden en op zoek gaat naar zijn geliefde. Dat zal de schat wel zijn. Onderweg stuit hij op gevaren. Hij komt een reus tegen. Dat is de eerste laag van het verhaal. Maar jullie weten inmiddels dat je door het verhaal heen moet kijken. Ik zal het derde enigma helemaal voorlezen.' Hij kijkt nog even in de oorspronkelijke tekst.

'Het klopt. Hier staat *li jaians* onderstreept. Dat betekent "reus".

Door de onderste poort, de zevende, betreedt de eenzame strijder de burcht van de gekroonde reus. In het schrikkeljaar overwint hij de kronkelende slang. Als hij de kroon boven zijn eigen hoofd houdt ziet hij in het noorden de eenzame reus vol vuur.'

'Nou, daar zijn we weer mooi klaar mee', bromt Kirsten.

'De eerste regels zijn niet zo moeilijk', zegt de baron. 'Kom maar mee. Ik zal jullie de gekroonde reus laten zien.'

Hij loopt in dezelfde richting waarin de mannen verdwenen zijn. Steven voelt zijn hart sneller slaan. Die kerels maken hem nog steeds bang. Kirsten zet dat gewoon uit haar hoofd. Zou hij dat ook kunnen? Of houd je jezelf dan alleen maar voor de gek? Via de Breidelstraat komen ze op de markt. Nog voordat de baron wijst, ziet Steven de gekroonde reus. Het plein wordt gedomineerd door een imposant rechthoekig gebouw. Op het gebouw staat een werkelijk gigantische toren. De bovenkant lijkt onmiskenbaar op een kroon. Dat moet de gekroonde reus zijn.

'Goeiedag zeg, wat een lompe toren', zegt Kirsten. 'Da's die gekroonde reus zeker. Maar ik zie geen kronkelende slang. En hoe kun je een slang verslaan in een schrikkeljaar? Hoe lang duurt het nog voor het weer een schrikkeljaar is?'

'Waar zouden die kerels gebleven zijn?' vraagt vader zich hardop af.

Steven bladert in zijn gidsje. De toren heet het Belfort. Het gebouw waar hij op staat is de lakenhal. Ineens valt zijn oog op een klein zinnetje. Wie de 366 treden van de toren beklimt kan genieten van een van de mooiste uitzichten van Vlaanderen. 366 treden! Dat is een eind klimmen. Er zit vast zo'n wenteltrap in. Ineens slaat zijn hart een slag over.

'Ik ... ik ... weet hoe je de reus in een schrikkeljaar kunt verslaan', stamelt hij.

HOOFDSTUK 14

De eenzame reus vol vuur

S teven wijst in de reisgids.

'De toren heeft 366 treden. Een schrikkeljaar heeft 366 dagen. Met andere woorden: de slang verslaan betekent de toren beklimmen! Een wenteltrap lijkt op een slang!'

Steven ziet dat de anderen verbluft naar hem kijken. Hij voelt een blos over zijn wangen schieten.

'Eh, dat denk ik tenminste.'

Dusseljee slaat zijn handen tegen elkaar.

'Niet zo bescheiden! Een briljante vondst. En als je de toren beklimt, heb je de kroon boven je hoofd. Dan kun je blijkbaar in het noorden iets zien dat de schrijver de eenzame reus vol vuur noemt.'

'Hmm', bromt vader Ton, 'dan zijn die kerels nu waarschijnlijk bezig de toren te beklimmen. Het lijkt me niet handig om ook de toren op te gaan, want je kunt elkaar daar niet ontlopen. We zullen moeten wachten tot ze er weer uit zijn. En dan moeten wij de hele klim nog maken.'

Maar Robert Dusseljee is het niet met hem eens.

'Stel dat we kunnen bedenken waar de eenzame reus vol vuur is zonder dat we naar boven hoeven te klimmen. Dan is dit onze kans om hen in te halen.'

Hij kijkt op zijn horloge. 'Ze zijn nog maar net aan de klim begonnen. Eerst naar boven. Dan het raadsel oplossen en daarna weer naar beneden. Daar zijn ze nog wel even zoet mee. We kunnen nu toch niets doen tot die mannen de toren weer uit zijn.'

'We kunnen even snel iets drinken', stelt de baron voor. 'In de lakenhal is een eethuisje met een terras ervoor. Het is daar altijd druk, dus we vallen niet op als we daar tussen de mensen gaan zitten. En een ander voordeel is dat je daar de ingang van de wenteltrap in de gaten kunt houden.'

Er wordt instemmend geknikt. Ze lopen de poort door de laken-hal binnen. In de poort zit een jongeman met lang haar in mid-deleeuwse kleding. Hij speelt op een harp.

'Wow', zucht Kirsten. 'Ik houd helemaal niet van dat ouderwet-se gepingel, maar hier klinkt het geweldig.'

De lakenhal heeft een binnenplein. Er staan tafels en ruwhou-ten banken. De baron gaat wat blikjes fris bij de kiosk halen.

Steven, vader en Dusseljee buigen zich over de kopieën.

'Een eenzame reus vol vuur', zegt Dusseljee. 'Zou met deze reus ook weer een toren bedoeld worden?'

'Dan is een reus vol vuur een vuurtoren?' floept Kirsten er tot Stevens verbazing uit. Hij kijkt jaloers naar haar. Een vuurtoren. Natuurlijk!

Vader Ton geeft haar een mep op de schouder. 'Tuurlijk. Dat is het! Staat er ten noorden van Brugge een vuurtoren? Dat is even de vraag.'

'Dan moeten we een kaart hebben. Die verkopen ze daar in de kiosk wel.' Dusseljee staat op en loopt naar de kiosk. De baron komt net met de handen vol blikjes aanlopen.

Ineens slaat Kirsten met de platte handen hard op het tafelblad. De asbak springt spontaan in de lucht.

'Yes. Nou los ik alweer een enigma op!'

Allemaal kijken ze haar verbaasd aan. 'Wat bedoel je?'

'Door de onderste zevende poort kom je in het kasteel van de reus. Moet je kijken. Kijk naar de poort waardoor we binnenge-komen zijn. Daar zit zo'n gang boven. Die heeft zes poorten. De zevende poort zit eronder. Tjakka!'

Steven kijkt naar de toegangspoort. Er loopt inderdaad een

galerij boven. Het dak rust op zes gewelven die de vorm van poorten hebben. Kirsten kon wel eens gelijk hebben. 'Knap, hoor. Nu weten we helemaal zeker dat we goed zitten.'

Kirsten heeft een glimlach bijna van oor tot oor. Ze kijkt triomfantelijk naar Steven.

'Goed, hè?'

'Absoluut.'

'Zie je wel dat je niet op het vwo hoeft te zitten om die raadseltjes op te lossen?'

'Dat heb ik ook nooit beweerd!'

Kirsten werpt haar haar naar achteren. 'Nee, maar dat straal je uit. Je denkt dat ik dom ben, maar dat is niet zo.'

'Dat is helemaal niet zo. Dat denk je alleen maar. Echt dom!'

Vader verschuift de foto's een beetje. 'Zijn jullie bijna uitgeruzied? We hebben werkelijk wel wat anders te doen.' Hij werpt een vluchtige blik op de toren en buigt zich dan weer over de foto's. 'Moet je hier eens kijken. Hier zie je een oor met op de achtergrond duidelijk de zes gewelven.'

'Dat snap ik niet', zegt Steven. 'Had Roberts vader deze keer de camera dan wel goed vast?'

'Nee', wijst Kirsten. 'Er staat toch een oor op!'

Ze kijkt naar de poort en naar de andere kant van het plein.

'Hé, moet je kijken. De andere kant van het binnenplein heeft precies zo'n poort met zo'n galerij er boven. Toen ze een foto namen van de ene kant, maakten ze die per ongeluk van de andere kant. Maar die ziet er net zo uit.'

Ze houdt haar hoofd scheef en steekt de tong naar Steven uit.

'Kwestie van logisch nadenken.'

Vader verschuift nog een foto. 'Kijk eens, hier zie je behalve dat oor een heleboel blauwe lucht, maar ook een stukje van wat een pilaar lijkt. Het zou me niet verbazen als deze foto in de kroon boven op het Belfort genomen is.'

Steven kijkt naar boven. De kroon staat inderdaad op pilaren.

Dusseljee komt aanlopen. Hij heeft een gidsje van Vlaanderen gekocht en een kaart.

'Waarom heb je die kaart gehaald?' wil Jacques weten.

'Wij denken dat de eenzame reus vol vuur een vuurtoren is die vanuit het Belfort in het noorden te zien is. Maar misschien kunnen we die toren ook op deze kaart vinden.'

De baron knikt bewonderend. 'Dit zou onze kans kunnen zijn om de anderen voor te komen.'

Dusseljee vouwt de kaart open.

'Maar een vuurtoren?' zegt Kirsten verbaasd. 'Dat bedenk ik nu: die waren er toen toch niet? In een vuurtoren zit een draaiende lamp. Die hadden ze toen echt niet, hoor.'

'Daar heb je gelijk in', zegt de baron. 'Maar vuurtorens bestonden wel. Het waren toen letterlijk vuurtorens. Grote torens met een vlakke bovenkant waarop een vuur ontstoken kon worden. Vuurtorens.'

'Aha', zegt Kirsten. 'Leuk baantje, de hele nacht fikkie stoken boven op een toren. Dat had ik wel willen doen.'

'Hm', zegt de baron. 'De vuurtorenwachters moesten natuurlijk wel alle brandhout zelf naar boven slepen. Daar wordt het al een stuk minder leuk van.'

'Dat zou ik mijn man laten doen!' kaatst Kirsten meteen terug.

Dusseljee wijst met zijn vinger over de kaart.

'In het noorden liggen twee plaatsen aan zee. Knokke en Zeebrugge. Blankenberge zou je ook nog mee kunnen rekenen.'

De baron schudt zijn hoofd. 'Die plaatsen waren er toen nog niet. De kust liep toen heel anders.'

Hij haalt een pen uit zijn zak en tekent een lijn op de kaart. 'Zo ongeveer.'

'Dan blijft er niet veel over ten noorden van Brugge', zegt vader. 'Hier ligt het plaatsje Lissewege. Steven, kijk eens in de gids. Staat dat erin?'

Steven slaat de inhoudsopgave open. Bladzijde 92. Vlug bladert hij de gids door. Er staat maar weinig in. In Lissewege is weinig te beleven. Maar een toren staat er wel. Stevens ogen flitsen over de regels. 'Bingo!' roept hij.

'Hier staat: de machtige toren stamt uit de eerste helft van de dertiende eeuw. Die stond er dus al honderd jaar toen de monnik zijn verhaal schreef. Het moest een permanent symbool van welvaart worden. Maar toen de lakenhandel in Brugge instortte, was er geen geld om de toren af te bouwen. Men vlakte de toren af. Zo heeft hij eeuwenlang dienstgedaan als, houd je vast, vuurtoren.'

Kirsten klapt in de handen.

'Yes. Daar moeten we heen. En die vier jodokussen zitten daar mooi boven in de toren terwijl wij hen inhalen.'

'We hebben geen tijd te verliezen', besluit de baron. 'Neem het drinken maar mee. Ik zal Herbert bellen dat hij ons zo snel mogelijk hier op de markt moet oppikken. Kom.'

Vlug haasten ze zich de lakenhal uit. Steven voelt de kriebels over zijn rug lopen als ze langs de wenteltrap komen. Je zult toch beleven dat die kerels net nu naar beneden komen. Maar van de mannen is geen spoor te bekennen. Ze zijn hier een enorme stap verder gekomen. Hij voelt dat hij er weer zin in krijgt. Positief denken, net als Kirsten. Ze komen op die kerels voor te liggen. Tegelijk voelt hij een rilling over zijn rug glijden. Dat houdt meteen in dat die kerels nu achter hen aan zitten. Zijn ze van de jager veranderd in de prooi? Nee, want die kerels weten nog van niks. Hoewel? Die kerels hebben er blijk van gegeven meer te weten dan je voor mogelijk zou houden.

Hij loopt naast Dusseljee. De koster heeft een pijnlijke blik in de ogen. 'Gaat het nog? Hebt u last van uw benen?'

'Ik begin ze wel te voelen.'

'Dat zie ik aan uw gezicht.'

Dusseljee glimlacht. 'Ik keek niet bezorgd omdat ik last van mijn benen heb.'

'Waarom dan?'

Dusseljee maakt een wegwuivend gebaar. 'Gewoon een gevoel. Het gaat me allemaal veel te gladjes.'

Steven kijkt verbaasd.

'Hoe bedoelt u dat?'

'Het kost ons nauwelijks moeite om die enigma's op te lossen. Als we zo doorgaan vinden we de schat vandaag nog. Dat klopt op de een of andere manier niet. Het gaat allemaal veel te snel.'

Ze komen net de poort uit. Steven wil nog wat vragen, maar de stem van Kirsten schettert: 'Hé, hier staat een standbeeld van de lakenhal en die toren. Waar slaat dat op?'

Ze wijst naar een bronzen model dat een eind voor het Belfort op het plein staat.

'Dat is de lakenhal in een bronzen uitvoering', legt de baron uit. 'Op deze manier kunnen blinde mensen ook een indruk krijgen hoe groot de lakenhal is en hoe enorm het Belfort.'

De edelman haalt zijn mobiel uit zijn zak.

'Herbert, sta jij nog in de buurt van de Onze-Lieve-Vrouwe?'

...

'O, daar. Da's mooi. Wij lopen langs de lakenhal door de Wolle-straat. Pik ons op bij de Sint Jansbrug. Daar komen we ongeveer gelijk aan.'

Hij wenkt de anderen.

'Kom achter mij aan. Blijf dicht langs de wand van de lakenhal lopen, dan zijn we vanuit het Belfort niet te zien.'

Steven kijkt op zijn horloge. Drie uur. Lissewege ligt op een steen-worp afstand van Brugge, daar moeten ze voor halfvier kunnen zijn. In de Wollestraat zijn veel souvenirwinkels. Ansichtkaarten, T-shirts met opdruk van grappig tot grof. In een etalage ziet hij beeldjes van ridders. Er staat ook een tempelier tussen, leunend op z'n zwaard. Zo zagen ze eruit. Zouden ze echt een schat heb-ben gehad? De schat van de tempeliers? 't Is bijna te mooi om waar te zijn. Zoiets gebeurt in boeken en in films, niet in het echt.

'Daar komt Herbert al aan.' Vader wijst naar de overkant van het water.

De geblindeerde Maybach rijdt tussen de mensen door. Ze lopen de brug over en stappen in de wagen.

'Waar gaan we heen?' wil de chauffeur weten.

'Naar Lissewege. We moeten bij de toren zijn.'

'Oké, die ken ik wel. Dat ding zie je vanuit de wijde omgeving staan. Zijn jullie nog wat opgeschoten?'

'Nou, dat kun je wel zeggen. We hebben drie van de zeven enigma's opgelost en we hebben onze tegenstanders ingehaald. Die zitten nog in het Belfort, denken we. Het is dus zaak om zo snel mogelijk in Lissewege te komen.'

'Er loopt een goede weg naar Zeebrugge. Dat gaat wel lukken.'

Hij draait behendig door de nauwe straatjes het fraaie centrum uit. Even later rijdt hij de wagen de weg naar Zeebrugge op. Steven voelt zich wegzakken in zijn stoel. Herbert stuurt de wagen met hoge snelheid over de snelweg.

'Nu we toch hier zitten, kunnen we ons misschien over het volgende enigma buigen.'

'Dat is een goed idee, Ton.'

Jacques legt de kopieën tussen hen in. 'Hier is het volgende raadsel. Er staat ...'

Mompelend leest hij de tekst terwijl hij met de vinger bijwijst. Steeds meer fronst hij zijn wenkbrauwen. 'Dat is raar.'

'Wat is raar?'

'Het lijkt erop dat we weer teruggestuurd gaan worden.'

'Hoe bedoel je?'

'Volgens mij slaat de tekst op zaken die in Brugge te vinden zijn. Roberts vader heeft er ook wat naast geschreven. Kijk, Sint-Janshospitaal, Onze-Lieve-Vrouwekerk.'

'Wat staat er dan precies?'

'Het komt ongeveer hierop neer: **Keer terug, keer terug, een- zame strijder, keer terug. Ga terug naar de veilige haven. Ga terug naar waar je verpleegd werd. Kniel neer aan de voeten van de maagd. De maagd met het gehavende lichaam.**'

Hij balt een vuist. 'Als die kerels dit enigma op kunnen lossen en we moeten inderdaad in Brugge zijn, dan zijn ze ons weer een straatlengte voor.'
'Moet ik terugrijden naar Brugge?'
De baron aarzelt. 'Even wachten, Herbert. Wat vinden jullie?'
Er valt een stilte.
'Ik denk dat we door moeten rijden', zegt pa tenslotte. 'Dat met de reus vol vuur de vuurtoren van Lissewege bedoeld wordt, lijkt me duidelijk. Als de schat in Brugge ligt, vanwaar dan dit dwaalspoor?'
Hij bladert even in de foto's. 'Kijk, op de volgende foto's zie je al- leen maar oren en blauwe lucht. Die zouden heel goed op een toren gemaakt kunnen zijn. Anders krijg je er nooit alleen maar blauw op. Dat betekent dat de vaders wel op de toren geweest zijn. Ik denk dat als we die schakel overslaan, we dan een be- langrijke aanwijzing zullen missen.'
'Dat snijdt wel hout', vindt Jacques. 'Laten we inderdaad maar naar Lissewege gaan. Eens kijken wat de reus vol vlammen ons te vertellen heeft.'
Herbert wijst door de voorruit. 'Daar heb je de oude reus.'

Vijf minuten later parkeren ze de Maybach in een onopvallend hoekje van het parkeerterreintje achter de kerk. Herbert blijft bij de auto, de anderen lopen in de richting van de kerk.
'Ik dacht dat het een losse toren was', zegt Kirsten. 'Maar er zit een kerk aan vast.'
'In het gidsje staat dat die er later aan gebouwd is.'
Kirsten schudt haar hoofd. 'Ze zijn hier wel goed in lompe torens bouwen. Weer zo'n joekel.'

Rond de kerk ligt een keurig onderhouden kerkhof.

'De graven zijn hier ook veel groter dan bij ons', merkt Kirsten op. 'Moet je zien, man, dat zijn complete tempeltjes.'

'En dan is dit nog een moderne begraafplaats', zegt de baron. 'In de tijd dat de Bruggenaren echt rijk waren, werden er nog veel meer protserige graven gebouwd. Bij sommige oude kerken heb je graven met complete grafkelders eronder.'

De kerkdeur staat open. De baron stapt als eerste naar binnen. Er is nauwelijks bezoek. Een koster veegt tussen de banken. Dusseljee loopt ernaartoe. 'Is de toren te beklimmen?'

'Jazeker. Maar de trap begint aan de buitenkant. Hier de deur weer uit en dan links om de hoek.'

Ze gaan weer naar buiten en vinden in een hoek van de toren inderdaad het begin van de wenteltrap. Onder de eerste wenteling staat een tafeltje met een stoel, daarop zit een man een boek te lezen. Hij lijkt blij dat hij eindelijk iets te doen krijgt.

'Goedemiddag. Wilt u de toren beklimmen?'

'Dat willen we zeker.'

'Dat is dan een euro per man.'

Kirsten stoot Steven aan. 'Dus ik mag er voor niks in?'

De verkoper lijkt het niet te horen. Hij pakt het biljet aan dat Jacques hem voorhoudt en scheurt vijf kaartjes af.

'Kijk uit bij het klimmen. De treden zijn uitgesleten en hier en daar is het vrij donker op de trap.'

'Pff, dat zegt-ie als je al betaald hebt.'

Steven kijkt met een scheef oogje opzij. Allemaal bluf.

'Zal ik maar achteraan gaan', stelt Dusseljee voor. 'Ik zal wel de meeste moeite hebben om boven te komen. Ik ben de hekkensluiter.'

'Er is niet eens een hek', zegt Kirsten. 'En als een van ons valt en de anderen meesleept, dan krijgt u vier man bovenop u.'

'Houd je dus maar goed vast.'

Pa gaat voorop, gevolgd door de baron.

140

Het beklimmen van de toren is inderdaad geen lolletje, of juist heel spannend, als je van gevaarlijke trappen houdt. De raampjes zijn smal en laten weinig licht door. Sommige treden zijn zo versleten dat je er nauwelijks op kunt staan. Steven voelt een paar keer dat hij wegglijdt. Het vettige touw hangt slap en geeft ook weinig houvast. Hij is niet de enige die het lastig vindt. Hij ziet dat zelfs de lenige Kirsten af en toe bijna op haar neus gaat. Een keer hoort hij de baron geschrokken een lelijk woord over de wenteltrap jagen. Beneden hem worstelt Dusseljee zich naar boven. Hij is al een heel eind achterop geraakt. Je hoort alleen zijn gemopper nog van onderen komen. Het lijkt of er geen eind aan het aantal wentelingen komt. Steven hijgt. Zijn hart bonkt in zijn keel. Hoog boven hem klinkt hol de stem van pa.

'Hé, jongens, ik ben aan het eind van die rottrap.'

Nog een wenteling en dan zit er een knik in de trap. Links begint een houten trapje van een paar treden. Dan staan ze op een houten vloer. In het midden is een gat met een leuning eromheen. Er is gaas gespannen, zodat je er niet over kunt vallen of klimmen. Een van de wanden is dichtgetimmerd met een houten schot. In het midden boven het gat hangen bronzen klokken in verschillende afmetingen. Rechts is een houten open trappenhuis waar je het platform boven op de toren kunt bereiken.

'Nog even, jongens. Vergeleken bij die stenen trap is dit een peulenschilletje.'

Ze klauteren de houten trap op. Via een deur staan ze ineens op het platte dak.

Kirsten fluit tussen haar tanden. 'Wow, hier kun je wel een fikkie stoken.'

Ze loopt meteen naar de rand. 'Moet je kijken wat een uitzicht.'

Steven loopt ook naar de stenen balustrade. Het uitzicht is inderdaad adembenemend. Als hij recht over de rand naar beneden kijkt, wordt hij bijna duizelig. Ver onder hem is het dak van de kerk en nog dieper ligt het kerkhof. De grote graftombes lijken van hierboven maar legosteentjes.

Als iedereen al lang boven is, komt Dusseljee naar buiten. Je kunt zien dat hij staat te trillen op zijn benen. Met een van pijn vertrokken gezicht leunt hij tegen de trapleuning. Kirsten loopt naar hem toe. Steven kijkt weer naar beneden.

Op het parkeerterrein ziet hij het dak van de Maybach. Er komt net een andere auto het parkeerterrein op rijden. De chauffeur stopt de wagen langs de heg van het kerkhof. Vier portieren zwaaien open. Als eerste stapt de chauffeur uit. Een man in een wit pak. Stevens hart slaat een slag over. De tweede man die uitstapt heeft een opvallend witte haardos.

Met een ruk draait Steven zich om. 'Die kerels!'

De mobiel van de baron gaat over.

HOOFDSTUK 15

Terug naar Brugge?

Steven wijst naar beneden. Vader en Dusseljee hebben hem niet horen roepen. De baron haalt zijn mobiel uit de zak. Steven durft niet opnieuw te schreeuwen. Stel dat die gasten hem kunnen horen. Kirsten komt naar hem toe.

'Wat heb jij?'

'Kijk dan. Die kerels staan op het parkeerterrein.'

Kirsten kijkt in de diepte.

'Hé, pap', schreeuwt ze. 'Die kerels komen er aan.'

Dat helpt. De mannen kijken op van hun foto's. Vader holt naar hen toe. Steven wijst. De mannen zijn al bij de auto vandaan gelopen. Ze lopen door het hek het kerkhof op. De man in het witte pak kijkt omhoog. Steven trekt meteen zijn hoofd terug. Achter zijn rug klinkt de stem van de baron.

'Ja, dat klopt, Herbert. We hebben ze gezien. Zorg dat ze jou niet zien.'

'Da's niet zo mooi', zegt vader. 'We zijn ze wel een slag voor, maar nu zitten we in de val. We kunnen nergens heen. Die kerels komen vast naar boven.'

Dusseljee recht zijn rug.

'Laat ze maar komen. Ik wil wel eens een hartig woordje spreken met die mannen. Als Herbert achter hen aan komt, hebben we hen in de tang. De pijn in mijn knieën maakt me kwaad. Ik lust ze rauw.'

De baron heft zijn hand op in een afwerend gebaar.

'Niks ervan. Ik wil hier geen confrontatie met de kinderen erbij.'

'Ik ben niet bang, hoor', bluft Kirsten.

Steven slikt. Hij is wel bang. Die kerels zijn sterk genoeg om een licht ventje als hij van de toren te gooien. Voorzichtig kijkt hij over de rand. De mannen lopen doelbewust over het kerkhof naar de ingang van de wenteltrap.

Vader wijst om zich heen. 'We kunnen ons hier niet verstoppen.'

'Hier niet, maar wel bij het carillon. Daar is een houten schot.'

De baron wenkt hen naar de trap. Steven vindt het een prima plan. Achter een schot verstopt zitten terwijl die mannen op een paar meter afstand langs je heen lopen is voorlopig wel even spannend genoeg.

'Ze gaan naar binnen', zegt Dusseljee. 'Laten we maar naar het carillon gaan.'

Aan zijn gezicht is te zien dat hij liever wat anders zou doen.

Achter elkaar klossen ze de houten trap af. Steven loopt meteen in de richting van het schot. Robert Dusseljee trekt zijn leren hesje strak en beent in de richting van de stenen trap. Steven ziet dat de baron met zijn hoofd iets scheef toekijkt. Dusseljee pakt met een hand de stenen post vast en buigt zich voorover. Zo te zien luistert hij. Hij draait zich om en knikt. Hij loopt op zijn tenen terug naar de anderen.

'Ik hoor ze op de trap. Nu geen geluid meer maken.'

Ze lopen naar het schot. Achter het schot is een trapje dat naar een platformpje leidt. Het is er donker. Steven vindt het best. Zelfs als iemand achter het schot kijkt zullen ze nog niet meteen opvallen. Hij laat zich op zijn hurken zakken. Dusseljee staat met de uitdrukking van een getergde stier achter op het platform. Begint de pijn in zijn knieën hem parten te spelen? Als hij zich maar rustig houdt. Daarnet in Brugge vond hij nog dat het allemaal veel te makkelijk ging. Daar zal hij nu wel anders over denken. De baron staat kaarsrecht. Steven ziet geen enkele emotie op zijn gezicht. Vader kijkt door de lens van zijn camera. Kirsten staat voor haar doen heel stil met een hand tegen het schot. Op de stenen trap klinkt gestommel.

'Eindelijk 'n end aan die rottrap. Dat die stomme Belgen daar niks aan doen.'

Steven kan niet zien wie er spreekt, maar de stem heeft duidelijk een Gronings accent. Of in ieder geval van iemand uit de noordelijke provincies.

'We ben' d'r nog niet. Daar in de hoek moeten we nog een trap op.'

'Al dat geklauter. Volgens mij is het nergens voor nodig. Je hebt toch gezien wat professor Dusseljee onderstreept heeft? In de kantlijn staat "Onze-Lieve-Vrouwe", en "Sint-Janshospitaal". Da's allemaal in Brugge.'

'Daar geloof ik niks van. De helft van de kerken in Vlaanderen heet Onze-Lieve-Vrouwe.'

'Ja, maar een Sint-Janshospitaal, daar is er maar een van. En Brugge was een havenstad.'

'En die vrouwe met dat gehavende lichaam dan? We worden toch niet voor niks naar deze toren gestuurd? Misschien is er daarboven wat te zien. Wat vind jij, Gaston?'

'Ik vind niks', klinkt het met een Vlaams accent. Zou dat de stem van die man in het witte pak zijn? Steven weet het niet helemaal zeker.

'Maar ik vind wel dat we boven moeten kijken. Bij een reus vol vuur denk je ook niet meteen aan een vuurtoren.'

De houten trap in de hoek kraakt. Voetstappen stommelen naar boven.

'Zij zijn het spoor ook bijster', stelt de baron tevreden vast. Hij kijkt op zijn horloge. 'Eens kijken hoe lang ze boven blijven.'

'Ik hoop niet al te lang', fluistert Kirsten. 'Ik moet nodig naar de wc. Ik moest in Brugge al, maar toen moesten we halsoverkop weg.'

Steven voelt zelf ook aandrang. Maar meer nog vermoeidheid. Ze zijn me ook nogal in touw geweest vandaag.

'Ik word moe', gromt hij.

Niemand reageert. Had hij zijn mond maar gehouden. Nou denken ze vast dat hij een aansteller is. Hij doet het ook altijd fout. Als hij dat nummer van Dusseljee niet vergeten had, was dit allemaal nooit gebeurd. Een golf van boosheid op zichzelf spoelt over hem heen. Kon hij maar van het platform af stappen, de trap af hollen, naar een station rennen en naar huis gaan. Naar huis, naar ma. Kirsten slaat haar benen over elkaar. 'Ik hoop dat ze opschieten.'

De tijd lijkt van stroop. Het ruikt muf op het platform. Er spelen stofdeeltjes in de lichtbanen die door de galmgaten vallen.

Gestommel.

'Zie je nou wel dat we voor niks hierheen gegaan zijn? Er is geen moer te zien daarboven.'

'Onzin. Je kunt het Belfort duidelijk zien, ja. En de toren van de Onze-Lieve-Vrouwe. Ik denk dat dat de bedoeling is. Door van een afstand naar de toren te kijken valt hij extra op.'

'Wil je terug naar de Onze-Lieve-Vrouwe?'

'Ja, heb jij een beter plan?'

'Nou, dan mogen we wel opschieten. Over een uur gaat die kerk dicht.'

'Stond dat ding er trouwens al toen?'

'De kerk niet, maar de toren wel. Misschien werd in die tijd wel aan de kerk gebouwd. Als je toch aan het bouwen bent, kun je meteen een schuilplaats inrichten voor een schat.'

'En die vrouw met dat gehavende lichaam?'

'Daar moeten we naar op zoek.'

'Dat lukt je nooit meer. Ik zei toch dat alles in Brugge al bijna gesloten wordt. Misschien is de Onze-Lieve-Vrouwe al dicht.'

'Misschien staat die vrouwe wel aan de buitenkant. En anders zoeken we een hotel en gaan morgen verder. Het wordt trouwens tijd om onze vriend eens een keer op te bellen. Misschien weet hij inmiddels meer.'

'Da's niet zo'n gek idee. Ik ben heel benieuwd hoe Vandermole gereageerd heeft toen hij hoorde dat we alles onder zijn neus weggekaapt hebben.'

Steven kijkt naar de baron. De edelman trekt verbaasd zijn wenkbrauwen omhoog.

'Maar wat doen we nu?'

'We gaan terug naar Brugge.'

Dan sterven de stemmen weg in het trapgat.

Dusseljee is de eerste die reageert.

'Die denken ook al dat ze terug naar Brugge moeten. Volgens mij heb ik me hier voor niks naar boven gesleept met mijn zere knieën.'

'Laat mij maar als eerste naar beneden', zegt Kirsten. 'Ik moet nou echt.'

'Je gaat niet alleen', zegt vader.

'Ik ga wel mee', biedt Steven aan.

'Niks ervan. Ik ga mee. Moeten we nog naar boven?'

'Ik vind van wel. De monnik heeft ons hier niet voor niets heen laten gaan', zegt de baron.

Vader pakt zijn camera en hangt hem bij Steven om de nek. 'Jij weet hoe je ermee om moet gaan. Als er foto's gemaakt moeten worden, kun jij dat ook wel doen. En let goed op als je straks die trap afloopt. Je weet wat dat fototoestel gekost heeft.'

'Komt helemaal goed. Ik ben voorzichtig.'

Samen met Dusseljee en de baron loopt hij naar de houten trap. Hij ziet pa en Kirsten in het donker van de wenteltrap verdwijnen. Naast hem zucht Robert.

Even later staan ze met z'n drieën buiten. Je kunt merken dat Dusseljee steeds meer last van zijn knieën begint te krijgen. Hij schommelt naar de balustrade en leunt er zwaar op. 'Waar moeten we in vredesnaam naar uitkijken hier?' Hij wijst in de richting van Brugge. 'Daar heb je je lieve vrouwtje, 122 meter hoog.'

De baron reageert niet. Hij legt zijn handen op de balustrade en kijkt over het landschap. Hoewel hij een tengere man is, heeft hij iets van een veldheer in zijn voorkomen. Zou Napoleon zo'n soort man zijn geweest? denkt Steven.

De baron kijkt opzij. 'Kun je inzoomen met die camera?'

Steven knikt. Hij richt de lens op het Belfort in de verte en zoomt in. Dan drukt hij af en laat de baron het display zien.

'Zo', zegt de edelman bewonderend. 'Da's beter dan een verrekijker.'

Steven glimlacht. 'En deze foto zelf kan ik ook nog weer inzoomen. Kijk, de kroon is duidelijk te zien zo. De toren is nog open, want er staan mensen onder de kroon.'

De baron legt zijn hand op Stevens schouder. 'Het verhaal van de monnik laat ons hier niet voor niets naartoe gaan. Als jij op de manier zoals je dat net gedaan hebt eens een rondje loopt en ieder oud of opvallend gebouw op de foto zet. We moeten een beeld proberen te krijgen van wat de monnik zag toen hij hierboven stond in de tijd dat hij het verhaal schreef. Alles wat je daar in het noorden aan zeehavens ziet liggen kun je overslaan. Lissewege lag in die tijd bijna aan zee.'

'Da's een goed idee.' Steven begint bij Brugge. Hij maakt een rijtje foto's zodat ze, als ze worden afgedrukt en naast elkaar gelegd een panorama gaan vormen. Als ze daar later iets opvallends op zien, kunnen ze die foto inzoomen voor meer details. De buitenwijken van de stad slaat hij over. Als hij de camera over de horizon laat glijden ziet hij eigenlijk alleen nog een paar kerktorens. Ook zet hij nog een molen op de foto, al kan hij zich nauwelijks voorstellen dat die er in de middeleeuwen al stond. Aan de zuidkant van de toren hetzelfde liedje. Weer hier en daar een kerktoren. Steven zet ze erop. Zelfs een gotische toren waarvan hij met geschiedenis geleerd heeft dat die pas later werden gebouwd.

De mobiel van de baron rinkelt. 'Ja?'

...

'Nee, Herbert, mooi laten wegrijden. Ze gaan weer naar Brugge. Maar ik denk nog steeds dat we die kant niet op moeten.'

Hij klapt de mobiel dicht en steekt hem in zijn zak. 'Lukt het met die foto's?'

'Ik heb alles erop.'

'Dan kunnen we wel weer naar beneden. Ga je mee, Robert?'

'Graag. En ik ga niet weer een toren op. Dan weet je het maar vast. Die Onze-Lieve-Vrouwe is nog veel hoger.'

De baron gaat er niet op in. Hij loopt naar het hokje midden op het dak waarin zich de trap naar beneden bevindt. Steven komt meteen achter hem aan. Hij ziet in zijn ooghoeken Dusseljee aan zijn leren hes trekken en in hun richting schommelen.

De tocht naar beneden valt hem mee. Afdalen is een stuk minder vermoeiend. Hij houdt zijn rug in de richting van de wand. Met een hand houdt hij boven zich het touw vast, met de andere klemt hij de kostbare camera voor zijn buik. Alleen op de stukken waar zo goed als geen licht over de treden valt, schuifelt hij treetje voor treetje naar beneden. Een paar minuten later staat hij weer bij de kaartverkoper in het kleine halletje.

'Nou, en hoe vond je het uitzicht?'

'Het uitzicht daar is niks mis mee, maar jullie trap kan wel een opknapbeurt gebruiken.'

'Och, het went.'

Omdat Dusseljee van de trap afkomt, gaat Steven gauw naar buiten. Hij ziet vader bij de noordpoort van het kerkhof staan. Hij wenkt.

Steven loopt naar hem toe.

'Moet jij nog naar de wc? Hier in het VVV-gebouw kun je terecht.'

'Laat ik dat maar doen.'

'Hier links die deur in. Dan helemaal oversteken. Trapje af en dan links.'

Steven geeft de camera terug aan vader en stapt naar binnen.

149

Als hij de deur door gaat komt hij in een ruime kamer. Langs de wanden hangen posters en rekken met folders. Er hangt een grote foto van de toren van Lissewege. Rechts is een balie. Een dame praat met een ouder echtpaar. Ze wijst iets aan in een folder. Van de andere kant komt Kirsten aanlopen.

'Wow man, dat lucht op.'

Ze kijkt hem aan.

'Ben jij er ook zo zat van? Dat gevlieg van de ene toren naar de andere, ik heb het nou wel een keer gezien. Vanmiddag vond ik het nog wel spannend. Maar nou net die kerels langs ons heen. Ik vind dat we wel ver genoeg gegaan zijn. Laat die mooie baron zelf zijn schat maar opzoeken. Ik heb honger.'

Steven aarzelt. 'Ik doe dit ook niet voor mijn lol. Maar ik vind wel dat die schat van de tempeliers in veiligheid gebracht moet worden. We zijn nu al zo'n eind op weg.'

'Ach, al die ouwe zooi. Wat hebben wij daaraan? Ik had me een paar dagen Brussel anders voorgesteld. Laat die baron zijn eigen boontjes maar doppen. Waarom moeten wij hem helpen? Hij kan beter een paar stevige jongens van een beveiligingsbedrijf laten komen. Die vegen de vloer aan met die vier mooie pakmeneren.'

Dan moet ze onwillekeurig toch lachen.

'Rare figuren. Wie gaat er nou achter een schat aan met een pak aan en een stropdas om? Ik hoop dat de schat in een modderige ondergrondse tunnel ligt. Daar wil ik ze wel eens door zien kruipen. Kun je lachen.'

'Ik moet ook naar de wc. Is dat hierachter?'

'Ja, daar links. Ze zijn heel schoon.'

Kirsten heeft gelijk. Het ruikt lekker in het toilet. En alles ziet er brandschoon uit. Als hij klaar is, wast hij zijn handen. Moeten ze ermee ophouden? Als Kirsten en hij aan pa vragen of hij ermee op wil houden, dan doet hij dat vast. Maar wil hij dat? Zal hij niet zijn hele leven nieuwsgierig blijven? Vast! Hij droogt zijn handen. Dan loopt hij terug naar het VVV-gedeelte. De dame is nog steeds met haar gasten in gesprek. Steven kijkt wat gedachteloos naar de foldertjes. Gratis mee te nemen staat erbij. Hij pakt een foldertje. Lissewege en Damme, de historische voorhavens van Brugge. En een ander foldertje. Uit in Vlaanderen, juli en augustus. Dat kon nog wel eens van pas komen als ze hier een paar dagen blijven. Hij vouwt de foldertjes dubbel en steekt ze in zijn zak.

Als hij de VVV uitloopt, ziet hij de drie volwassenen bij de kerkhofpoort staan.

'Wat mij betreft gaan we naar huis', hoort hij pa zeggen. Zou Kirsten al met hem gepraat hebben?

'Ik heb het ook wel gehad. Ik heb al te veel gelopen', bromt Dusseljee. 'Het heeft weinig zin om naar Brugge te gaan. Alles wordt gesloten. We kunnen beter morgenochtend op tijd die kant opgaan. Ik heb trouwens wel zin in een hapje eten.'

De baron trekt zijn mond strak. 'Goed, misschien hebben jullie gelijk.'

'Wij waren om vijf uur al onderweg vanmorgen', zegt Kirsten. 'Ik ben zo moe als een hond.'

Steven ziet de baron zijn handen spreiden. 'Goed, kom, we gaan.'

Ze lopen naar het parkeerterrein. Herbert houdt de portieren voor hen open.

'Houden jullie het nog uit tot Brussel? Ik kan mijn kok Hillebrand bellen, dan staat het eten op tafel als we bij Val Duchesse komen. Maar ik wil ook wel naar een restaurant.'

'Maakt mij niet uit', zegt Dusseljee.

'Bij u thuis is het makkelijkst, denk ik', zegt pa. 'Zo laat is het nu ook weer niet, in een restaurant moet je ook op je eten wachten.'

'Bij McDonald's niet', zegt Kirsten.

De baron kijkt met een zuinig glimlachje opzij. 'Dan eet ik liever thuis.'

Een minuut later verlaat de Maybach het parkeerterrein. Steven pakt de foldertjes uit zijn zak. Kirsten kijkt opzij.

'Hé, daarin kun je zien wat hier te beleven is. Mag ik die?'

Steven geeft haar de folder.

'Wat heb je daar nog meer? Hé, was Lissewege ook een haven? Daar zie je niks meer van.'

Ze slaat haar eigen folder open. 'Gunst, ze doen hier nog aan optochten.'

De baron wijst op de folders. 'Kijk eens of je iets kunt vinden over de gehavende maagd. Onze lieve vrouwe is Maria. Misschien moeten we zoeken naar een beschadigde kerk.'

Steven ziet dat Dusseljee over zijn schouder naar de baron kijkt. Hij leest verbazing en achterdocht in de ogen van de oude koster. Wat zei Dusseljee ook al weer in Brugge? Het gaat te makkelijk? Maar het gaat helemaal niet makkelijk. Ze zitten op een dood spoor.

Tegenover hem is pa in gesprek met de baron die alles wil weten over zijn camera. Robert Dusseljee hangt weer met gesloten ogen in zijn stoel. De laatste opmerking van Kirsten haakt nog in Stevens hoofd. Lissewege een haven? Het vijfde raadsel. Terug naar de veilige haven. Hij slaat de folder op. Het is maar een dubbelgevouwen blad. De toren van Lissewege staat erin en nog een toren. Hij herinnert zich vaag dat hij daar net op de toren een foto van gemaakt heeft.

Dan worden zijn ogen groot. Dat kan niet!

HOOFDSTUK 16

De maagd met het gehavende lichaam

Vlug pakt hij de reisgids. In de inhoudsopgave zoekt hij naar Damme. Bladzijde 65. Met zijn duim ritst hij langs de bladzijden. Damme. Zijn ogen vliegen over de regels. Damme was een vroegere voorhaven van Brugge. Hier kwamen de zeeschepen aan en werd de lading overgezet in kleinere schepen. Damme had een van de eerste ziekenhuizen. Het Sint-Janshospitaal! Ouder nog dan het ziekenhuis met dezelfde naam in Brugge. In de hoogtijdagen werd begonnen met de bouw van de Onze-Lieve-Vrouwekerk. De toren werd neergezet, maar toen de lakenhandel instortte en de rijke bevolking de stad verliet, lieten ze de kerk half afgebouwd achter. In later eeuwen is een deel van de kerk alsnog overdekt, maar het middenschip is nog steeds een gapende ruïne. Steven kijkt naar de foto. De maagd met het gehavende lichaam! Onze lieve vrouwe is de maagd Maria. Het gehavende lichaam is de half afgebouwde kerk. De baron had gelijk! Het gaat inderdaad om een beschadigde kerk.

'We moeten niet naar Brugge!'

Iedereen kijkt verbaasd in zijn richting. Zelfs Dusseljee slaat zijn ogen op.

'Hier! Moet je kijken! In Damme is een Sint-Janshospitaal. En er is een Onze-Lieve-Vrouwekerk.'

'Tjonge jonge', moppert Kirsten. 'Die Belgen hebben ook geen fantasie. Alles heet hetzelfde.'

'Ja, maar moet je deze foto eens zien. De kerk is maar half afgebouwd. Dat is de maagd met het gehavende lichaam.'

153

Pa pakt de reisgids van hem over en begint te lezen. 'Hé, Damme heeft vroeger ook een haven gehad.'

Steven vouwt de folder open. 'Hier is nog een foto van die kerk.'

De baron pakt de folder over. Dusseljee buigt zich over de leuning. Hij lijkt zijn vermoeidheid vergeten. 'Drommels, die jongen heeft gelijk.'

Steven ziet dat hij opnieuw met die vreemde blik naar Vandermole kijkt.

Kirsten zakt zuchtend onderuit.

'Daar gaan we weer. Laten we alsjeblieft morgen gaan.'

De anderen kijken elkaar aan. De baron laat de folder zakken.

'Ik weet dat we allemaal moe zijn, maar dit is een unieke kans. Die vier kerels zijn naar Brugge. We liggen nu dus duidelijk een eind voor. Vroeg of laat zien zij hun fout ook wel in. Dat kan nog wel even duren. Maar het kan net zo goed zijn dat een van hen vanavond of vannacht al een heldere inval krijgt. Dit is voor ons misschien wel de enige kans om de schat niet alleen te vinden, maar ook in veiligheid te brengen voordat de anderen hem vinden. Nou, wat zeggen jullie ervan?'

'Als ik maar geen torens meer op hoef', gromt Robert Dusseljee.

Vader kijkt naar zijn kinderen.

'Ik vind dat we naar Damme moeten', zegt Steven.

'Hoe ik erover denk dat weten jullie nu wel', zegt Kirsten terwijl ze met de schouders trekt. 'Maar ik ga wel mee.'

'Meid, je moet het wel zien zitten.'

'Ik zie het wel zitten, maar ik hoop wel dat er in Damme iets te eten is. En ik hoop dat die schat daar ligt. Er komen toch nog twee raadsels? Waar ligt Damme trouwens?'

Steven wijst naar het reisgidsje dat pa nog in zijn handen houdt.

'Achterin zit een kaart.' Vader vouwt de kaart open. Jacques Vandermole kijkt met hem mee. 'Hier.'

'Da's vlak boven Brugge. Misschien een kilometer of tien ervandaan. Herbert, kun je daarnaartoe rijden?'

Herbert tikt al op het schermpje van zijn navigatiesysteem. 'Halfuur rijden.'

De baron schuift zijn mouw omhoog. 'Dan zijn we daar tegen vijven. We nemen de situatie in ogenschouw, en gaan zo gauw mogelijk ergens iets eten.'

Niemand protesteert. Steven voelt een kriebel. Hij heeft hen weer op het goede spoor gezet. Aan de ene kant is hij daar best een beetje trots op. Maar nu worden ze wel weer verder het avontuur in gesleept. Als hij die folder niet gelezen had, hadden ze over anderhalf uur bij de baron aan tafel gezeten en hadden ze vanavond op tijd in een lekker bed kunnen liggen. Nu moeten ze maar afwachten waar ze terechtkomen. De oude ruïne van een kerk? Zou die schat daar liggen? Zou best kunnen. Waarom keek Dusseljee zo naar de baron? Gaat het weer te makkelijk? Dan herinnert hij zich dat het de baron was die op het idee kwam dat de gehavende maagd wel eens een kerk zou kunnen zijn. Zou ...? Hij neemt zich voor om er met Dusseljee over te praten zo gauw hij de kans krijgt.

Een half uur later rijden ze langs een vaart Damme binnen. Op het water vaart een rondvaartboot. Een raderboot. Het rad achter het schip spettert het water vrolijk in het rond.

'Wow, daar zou ik wel eens een tochtje mee willen maken', wijst Kirsten enthousiast. Haar boze bui lijkt helemaal verdwenen.

Over een kasseienweg rijden ze het oude dorpje binnen.

Kirsten stoot Steven aan en wijst op een restaurant. De baron ziet het. 'Nou, we hoeven hier in ieder geval niet te verhongeren.'

Herberts navigatiesysteem voert hen dwars door het dorp naar de buitenrand. Daar torent de kerk hoog boven het dorp uit. Vanhieruit kun je ook de ruïne van het middenschip zien. Hoog oprijzende wanden met holle gaten waar de ramen hadden moeten komen. Het achterste deel van de kerk, het verst van de toren, is wel overdekt. In de ramen zit glas, met gaaswerk ervoor. Deze kerk is duidelijk niet geworden wat de oorspronkelijke bouwmeesters bij het begin van de bouw in hun hoofd hadden. Rond het kerkhof is een muur van oude kloostermoppen.

'Hmm', zegt de baron terwijl hij op zijn horloge kijkt. 'Als de kerk en het kerkhof nog maar niet gesloten zijn.'

Herbert rijdt rond en parkeert op een parkeerterreintje in de buurt van de kerk. Ze stappen uit.

'Kom jij mee, Herbert? Mocht er onverhoopt toch nog weer geklommen moeten worden, dan kun je Dusseljee gezelschap houden.'

Dusseljee bromt wat, maar onthoudt zich van commentaar.

Via een korte laan met bomen komen ze bij de gehavende kerk. Rechts de toren. Voor hen de ruwe muur met de verre van uitnodigende raamgaten. Tussen de ruïne van het middenschip en de kerk is een doorgang naar het achter de kerk gelegen kerkhof. De doorgang kan afgesloten worden met een hek. Dat hek staat nog open. Als ze ernaartoe lopen zien ze links een deur die toegang geeft tot het overdekte deel van de kerk. Er hangt op de deur een bordje dat de sleutel van de toren daar te krijgen is. Kirsten kijkt met een scheef oogje naar Dusseljee. 'Hé, je kunt de toren beklimmen.'

Maar niemand reageert. Op het hek zelf hangt een bord dat het kerkhof om zes uur afgesloten zal worden. Ze hebben nog een uurtje.

Steven kijkt verbaasd om zich heen als ze het kerkhof op stappen. Je kunt zien dat het heel oud is. Veel grafmonumenten zijn verweerd en verzakt. Maar nog duidelijk is te zien dat het vroeger protserige praalgraven waren. De baron maakt een weids gebaar.

'Zo lieten de rijke middeleeuwers zich begraven. Zelfs toen de kerk nog in aanbouw was, wilden de rijke burgers al bij de kerk begraven worden. Toen men begon met de bouw was er nog geld genoeg in Damme. De mensen die hier hun graftombes lieten bouwen, hadden nooit kunnen denken dat ze eeuwen later naast een half afgemaakte kerk zouden rusten.'

Steven kijkt naar de tombes. Tempelachtige huisjes met deuren ervoor.

'Liggen de doden boven de grond in die dingen?' griezelt Kirsten.

Vader die foto's maakt, laat zijn camera zakken. 'Nee. Wat je ziet is alleen het bovengrondse gedeelte. Achter die deuren leiden trappen de diepte in. De eigenlijke grafkelders zitten onder de grond.'

'Wow, dan zijn ze echt groot.'

'Er liggen vaak hele families in.'

'Moeten we niet eens naar het volgende raadsel kijken?' vraag Dusseljee ongeduldig.

'Dat lijkt me niet verstandig om dat hier te doen', vindt de baron. 'Over een uur wordt het kerkhof afgesloten. Dan is de beheerder weg en kunnen we ongestoord onze gang gaan. Maar dan moeten we een manier vinden om het kerkhof weer op te komen.'

'Hoe denk je dat te doen?'

De baron wijst naar de toren. 'Ik denk dat ik iets weet.'

'Ja, ik dacht het niet, hè', sputtert Dusseljee tegen.

'Het is niet wat jij denkt. Hier is een bank. Ga even zitten. Ton, als jij wat foto's van het kerkhof en de tombes maakt, kunnen we die misschien straks onder het eten gebruiken om het volgende raadsel op te lossen. Ik ga met Herbert op zoek naar een andere ingang.'

Hij wenkt zijn chauffeur en loopt zonder commentaar af te wachten in de richting van het hek.

Robert Dusseljee laat zich op een bank zakken. Kirsten gaat naast hem zitten.

'Gaat het nog?'

'Jawel, jawel.'

'Wat hebt u eigenlijk met uw benen?'

'Ik heb versleten knieën. Als kind had ik al O-benen. Mijn moeder noemde me vroeger al haar lieve varkentjesvanger.'

'Wat gemeen!'

'Nee, hoor, zo bedoelde ze dat helemaal niet. Maar vanaf mijn dertigste kreeg ik steeds meer last van mijn knieën. En nu houd ik de avondvierdaagse al helemaal niet meer vol.'

'Dat lijkt me vreselijk.'

'Och, het is niet vreselijk, maar wel lastig.'

'Nou, ik blijf lekker bij u zitten, hoor. Ik heb genoeg gesjouwd vandaag.'

Dusseljee gromt zijn zware lachje.

Steven komt erbij zitten.

'U keek in de auto zo vreemd naar de baron', begint hij.

Dusseljee en Kirsten kijken hem verbaasd aan.

'Hoe bedoel je?'

'Nou, in Brugge zei u dat het allemaal veel te makkelijk ging. Ik heb nagedacht. Denkt u dat de baron al lang weet waar de schat ligt? Dat hij ons alleen maar nodig heeft om uit te vissen of wij de schat ook kunnen vinden?'

Dusseljee knijpt zijn ogen samen.

'Ik weet het niet.'

'Eigenlijk was het de baron zelf die de weg hierheen wees. Hij zei dat ik moest zoeken naar een gehavende kerk. Vertrouwt u hem? U kent hem het best.'

Dusseljee aarzelt.

'Ja, ik vertrouw hem. Voor zover je een vrijmetselaar vertrouwen kunt.'

'Hoe bedoelt u dat?'

'Vrijmetselaars hebben altijd hun geheimen. Vroeger vond ik het maar gek dat mijn vader lid van zo'n groep was. Maar pas toen ik christen werd, kreeg ik echt een hekel aan dat gedoe. Ze presenteren zich graag als vriendelijke wereldverbeteraars, maar als je weet wat voor bizarre inwijdingsrituelen ze hebben, dan vind ik het maar een gevaarlijke beweging. Ze hebben veel meer invloed dan de meeste mensen denken. Maar waarom vertel ik dat allemaal? Ik maak jullie alleen maar bang. Jullie hebben al gemerkt dat de baron een vriendelijke, vrijgevige man is. En zo wil ik hem ook graag blijven zien.'

Er valt een stilte. Zelfs Kirsten heeft even geen commentaar.

Steven ziet dat zijn vader een eind verderop foto's maakt.

'Ik ga even bij pa kijken.' Hij staat op en loopt er rustig naartoe. Kirsten blijft bij Dusseljee zitten. Als hij zich omdraait, ziet hij dat de twee weer druk in gesprek zijn. Zouden ze het over de vrijmetselaars hebben? Had hij bij hen moeten blijven? Zou die baron wel te vertrouwen zijn? Hij weet het allemaal niet meer.

Tussen de tombes lopen klinkerpaden. Ieder pad biedt weer een andere blik op de necropool, de dodenstad. Door de vervallen glorie en de schots en scheef gezakte graven, losliggende kettingen die eens aan pilaren hingen, maakt het kerkhof een naargeestige, griezelige indruk. Hij hoopt wel dat ze hier voor het donker weg zijn.

Vader denkt er blijkbaar anders over. 'Wat een fantastische plek', zegt hij als hij Steven aan ziet komen.

Hij draait de camera en toont het display. 'Moet je kijken. Ik kan hier wel een hele dag rondlopen en foto's maken.' Hij klikt de ene na de andere foto op het schermpje.

Steven trekt zijn neus op. 'Iets donkerder en ze passen zo in een griezelfilm.'

'Jij hebt geen smaak.' Hij hangt de camera over zijn schouder en pakt de afdrukken van de foto's.

'We zitten goed. Kijk, op deze foto zie je naast het oor een omgevallen pilaar en een stukje ketting. Dat moet hier ergens zijn. Ze zullen wel een foto van de toren hebben geprobeerd te maken.'

Hij pakt de volgende foto. 'En moet je kijken. Achter dit oor zie je een stuk ruw metselwerk. Ik geef je op een briefje dat we dit terugvinden daar ergens onder de toren of daar bij de ruïne. Ik denk dat het volgende enigma ons naar een tombe op dit kerkhof stuurt.

Steven kijkt hem geschrokken aan. 'Dat lijkt me niks.'

'Het zou een ideale bergplaats zijn. Niemand maakt een tombe open.'

'Ja, dat klopt wel, en dat is niet voor niets zo.'

Achter hen klinken voetstappen. Steven draait zich met een ruk om. De baron komt handenwrijvend aanlopen.

'We hebben het voor elkaar, mensen. Nu gaan we eerst een hapje eten.'

'Kunnen we straks naar binnen?' wil vader weten.

'Geen probleem, maar dat zal ik je straks laten zien. Kom, we gaan naar het restaurant. We moeten toch wachten tot de beheerder het kerkhof heeft afgesloten.'

Samen lopen ze achter de baron aan. Ze laten de Maybach op het verscholen parkeerterreintje staan. Het restaurant is vlakbij. Het eethuis is van binnen gezellig ingericht met ruwhouten tafels en bijpassende stoelen. De wanden zijn van kaal metselwerk. Van grote wijnvaten zijn statafels gemaakt. Een donkerhouten bar maakt de rustieke sfeer compleet.

De kelner brengt hen naar een tafel voor het raam. Door kleine ruitjes heb je een mooi uitzicht over het oude pleintje met zijn fraaie geveltjes. Hij trekt een opschrijfboekje tevoorschijn. 'Kan ik vast iets te drinken halen?'

De mannen, behalve Herbert, gaan voor een Belgisch biertje. Steven en Kirsten hebben liever een cola.

Gelijk met de drankjes brengt de man de menukaarten. De baron slaat als eerste de kaart open. 'Mensen, zoek iets lekkers uit. We hebben een drukke dag achter de rug. En nu hebben we even geen haast. Het is hartje zomer en het duurt nog lang voor het donker is. En het mooiste, we zijn die kerels te slim af. Die sjouwen in Brugge rond.'

Met zijn hoofd iets achterover keurt hij de gerechten. 'Ik ga voor de everzwijnbiefstuk.' Dusseljee wil reerug. Pa bestelt zalmfilet. Kirsten houdt het maar bij een schnitzel, dan weet ze tenminste wat ze krijgt. Steven aarzelt even of hij ook een everzwijnbiefstuk zal doen. Het klinkt wel lekker. Klinkt ook goed op school dat hij net als Obelix weet hoe everzwijn smaakt. Maar als het van dat taaie halfrauwe vlees is waar je een kwartier op moet kauwen ...

'Doe ook maar een schnitzel.'

'Het zou me niks verbazen als die schat in een van die tombes ligt', zegt pa terwijl hij een slok van zijn Kriek neemt.

'Ja, maar welke?'

De baron tast in zijn binnenzak en haalt de kopieën eruit. Vader legt de foto's die hij aan Steven heeft laten zien ernaast. Jacques wijst op de tekst. 'Hier staat dat de eenzame strijder teruggaat naar het hospitaal, dat hem zo bekend en zo vreemd voorkomt. Zie je wel. Bekend, want het heeft dezelfde naam, en vreemd, want het is een ander ziekenhuis. Thuisgekomen knielt hij bij de maagd. En dan komt het. Hoor maar als ik de vertaling voorlees.

Terwijl de zon opkomt, ziet hij de poort naar het hemels geluk. Hier zal ik sterven. Hier zal ik afdalen in het dodenrijk. Engelen wijzen mij de weg. Messias, Messias. Gekroonde hoofden. Tussen u ga ik door.'

De baron aarzelt even. 'Tussen u ga ik door?' Hij tilt het papier dichter naar zijn gezicht. 'Ja, dat staat er toch echt.'

Ze speculeren een poosje wat dat zou kunnen betekenen.

'Ton kon wel eens gelijk hebben', zegt Dusseljee. 'Afdalen in het dodenrijk. Dat zou kunnen betekenen dat we zo'n tombe in moeten.'

'Dat gaan we toch niet doen, hè?' schrikt Kirsten. 'Dat doe ik echt niet, hoor.'

Steven haalt opgelucht adem. Gelukkig dat hij niet de enige is die daar geen trek in heeft.

'Zover is het nog lang niet', zegt pa. Hij tikt op de foto. 'Als je de zon op ziet komen, kijk je naar het oosten. Het kerkhof ligt aan de oostkant van de kerk. Op deze foto zie je achter het oor schoon metselwerk. Als ze de bedoeling hadden een foto van de juiste tombe te maken, dan kon die wel eens vlak bij de kerkmuur, of vlak bij de toren zijn.'

Hij wordt onderbroken door de ober die samen met een meisje, dat aan haar gezicht te zien zijn dochter is, de eerste borden komt brengen.

'Nou, da's een vlotte service', prijst Dusseljee als de reerug voor hem neergezet wordt.

Binnen vijf minuten hebben ook de anderen hun eten gekregen. Dusseljee en de Simonsen bidden. De baron en zijn chauffeur kijken zwijgend toe.

'Eet smakelijk.'

Gerammel met bestek. Steven kijkt naar de andere borden. Hij is blij dat hij een schnitzel genomen heeft. De everzwijnbiefstuk is van buiten donkerbruin, bijna zwart, maar als de baron er een plak afsnijdt, is hij van binnen vuurrood. Ook de reerug van Dusseljee is rood vanbinnen. Maar als de heren er met smaak op beginnen te kauwen, trekt hij de conclusie dat het blijkbaar zo hoort. Nou, da's niks voor hem.

Een uurtje later schraapt Steven het laatste hapje roomijs met chocolade uit zijn glazen beker. Wow. Zo'n dame blanche smaakt elke keer weer geweldig. Als hij het glas van zich afschuift, voelt hij de spanning terugkomen. Straks gaan ze naar dat verlaten kerkhof. Pa heeft net een poos met ma gebeld. Hij heeft zijn best gedaan haar gerust te stellen. Steven merkte dat pa het allemaal wat luchtiger voorstelde dan dat hij het voelt. Je kon merken dat hij ma niet ongerust wilde maken.

Dusseljee veegt zijn mond af en legt zijn servet naast zijn bord. 'Heerlijk eten! Koken hoef je die Belgen niet te leren.'

Hij leunt achterover. 'Weet je zeker dat je bij die tombes kunt komen?'

De baron knikt. Hij kijkt op zijn horloge. 'Laten we maar eens gaan kijken. De beheerder is al lang weg.'

Hij wenkt de ober en rekent af. Dan gaan ze naar buiten. Zwijgend lopen ze in de richting van de oude kerk. Niemand voelt de behoefte om iets te zeggen. Steven voelt dat de ontknoping niet ver weg meer is. Ergens aan de voet van de toren ligt vast de oplossing van de raadsels die de oude monnik zo knap in zijn ridderverhaal heeft verstopt.

Even later naderen ze de ruïne over de laan tussen de bomen. Al van een afstand zien ze dat het hek gesloten is. De baron loopt er niet eens heen. Hij koerst recht op de toren af. Achter zijn rug hoort hij Dusseljee iets vaags mompelen. Onder in de toren is een houten deurtje. Dat deurtje lijkt stevig op slot.

'Dit is een slot dat je alleen met de sleutel open kunt maken, en dat dan achter je meteen weer in het slot valt.' Hij zet zijn handen tegen het hout en geeft een duw. De deur schiet open. Hij glimlacht om de verbaasde gezichten.

'Ik moet toegeven dat het een idee van Herbert is.' Hij wijst naar het slot. 'We hebben een steentje in de slotplaat gestopt. Zo valt de deur wel dicht, maar de schoot valt niet in de slotplaat. Met andere woorden: de deur lijkt afgesloten, maar hij staat eigenlijk gewoon open. Gelukkig heeft de beheerder deze deur niet meer gecontroleerd voor hij naar huis ging.'

'Ja, da's allemaal heel mooi', zegt Dusseljee. 'Zo kunnen we in de toren komen. Maar we moeten naar het kerkhof. En ik heb je al gezegd dat ik geen torens meer ga beklimmen.'

'We hoeven maar een paar meter omhoog. Dan komen we in de onderste verdieping van de toren. Vandaar kunnen we gemakkelijk op het kerkhof komen. Kom maar mee. Herbert, kom jij als laatste? Laat het steentje zitten, maar duw de deur dicht zodat een voorbijganger niet meteen ziet dat de toren open is.'

Achter elkaar klimmen ze de trap op. Al na één wending komt de trap uit in een zaal met een bakstenen vloer. Aan de overzijde is ook een wenteltrap. De baron loopt ernaartoe en daalt de treden af. Even later staan ze voor een tweede deur.

'Deze deur wordt nauwelijks gebruikt. Er zit dan ook geen slot op, maar een grendel die van deze kant opengemaakt kan worden.'

Met enige moeite verschuift hij de roestige grendel. Uit zijn zak haalt hij een zakdoek waarmee hij de roestvlekjes zorgvuldig van zijn handpalm veegt.

Vader pakt de ring beet en trekt de deur naar zich toe. Voor hen liggen de tombes.

'Nou, da's niet gek. Via deze route kunnen we ook makkelijk wegkomen.'

Hij pakt de foto waarop achter het oor het metselwerk te zien is. Met de foto in de hand loopt hij langs de onderkant van de toren. De anderen zijn inmiddels ook bij hen gekomen. Steven kijkt met vader mee. Het metselwerk van de toren lijkt als twee druppels water op het metselwerk op de foto.

''t Is met hele ruwe natuurstenen gemetseld. Er zijn er geen twee gelijk. We moeten dit deel van de muur kunnen vinden.'

Steven kijkt op de foto. Een van de ruwe stenen heeft een opvallende donkere kleur. Stevens ogen glijden over de torenwand.

'Daar zit-ie!'

Vader doet een paar passen opzij. 'Je hebt gelijk.'

De anderen komen dichterbij. Pa pakt zijn camera. Hij draait hem om en houdt hem naast zijn hoofd. Steven pakt de foto.

'Iets naar links. Nog een stapje.' Pa draait de camera. De lens wijst naar een eenvoudige tombe die hooguit een meter of vijf van de torenmuur af staat.

Er staan twee treurende engelen op. Ze wijzen naar beneden.

'Engelen wijzen de weg', fluistert de baron. Hij pakt de kopie van de tekst.

'Messias, Messias.'

Ze lopen samen naar de tombe. De toegang is afgesloten met een fraai traliehek. De baron buigt zich voorover en tuurt tussen de spijlen door.

'Kijk, achter het hek is de tombe afgesloten met twee deuren. Op elke deur is een afbeelding van Christus' hoofd met de doornenkroon.'

Hij loopt langzaam dichterbij. Dusseljee wijst. 'Twee keer Messias. Twee hoofden, gekroond met de doornenkroon. Tussen u ga ik door. Dat kan alleen als beide deuren open zijn.'

Steven voelt een duw in zijn rug.

'Kijk uit. Kijk uit. Bukken!'

Het is de stem van Kirsten. Ze wijst in de richting van de kerkhofmuur.

Steven ziet de bovenkant van een ladder die net tegen de muur wordt geplaatst.

HOOFDSTUK 17

Gepakt

'Wat is er met jou?'
'Er zet iemand een ladder tegen de muur. Verstop je achter de tombe! Er klimt iemand naar boven!'
Alle zes duiken ze in de beschutting van de oude graftombe. Steven drukt zich tegen de ruwe steen. Herbert gluurt om de rand van de tombe. De baron loopt naar de andere kant.
Steven buigt zich ook naar een hoek. Langs de schouder van Herbert kijkt hij naar de muur. Hij ziet iemand die net van de ladder af stapt en op de muur gaat zitten met een been aan elke kant. Het is de man in het witte pak. Hij wenkt naar iemand die aan de andere kant onder aan de muur staat.
'Dit is onze kans om naar de toren terug te gaan', zegt Herbert. 'Ze letten nu even niet op.'
Hijzelf trekt meteen een sprintje naar de openstaande deur. De baron wenkt. Snel hollen ze naar de toren. Dusseljee glipt als laatste naar binnen. Herbert trekt de deur dicht en schuift de grendel erop. 'Zo kunnen ze in ieder geval niet bij ons komen.'
Ze klimmen de trap op tot de benedenzaal.
'Er zijn hier geen ramen. Op de verdieping hierboven zijn galmgaten, daardoor kunnen we zien wat ze doen.' De baron is al weg naar de wenteltrap.
Kirsten kijkt naar Dusseljee.
'Ik wil wel zien wat er gebeurt', bromt hij. 'Ik ga wel als laatste. Ik hoop niet dat het zo'n rottrap is als in Lissewege.'
'Ik blijf bij u, hoor', zegt Kirsten. 'Ik wil hier ook wel blijven wachten. Ik heb die kerels nu vaak genoeg gezien.'

Dusseljee glimlacht. 'We doen gewoon kalm aan.'

De baron en Herbert zijn de trap al op. Steven en vader volgen hen naar boven. Gelukkig is deze trap een stuk minder uitgesleten dan die in Lissewege. De meeste bezoekers komen waarschijnlijk voor het bijzondere kerkhof, en niet om de toren te beklimmen. Het is lang niet zo'n klim als in Lissewege.

Binnen een paar minuten bereiken ze de tweede verdieping. Daar zien ze de baron en Herbert die door de galmgaten naar beneden gluren. Steven en pa lopen er ook heen. In de galmgaten zijn schuine planken aangebracht om het geluid van de klokken naar beneden te leiden. Steven kijkt tussen twee van de planken door naar beneden. Schuin in de diepte ziet hij de mannen die nog bezig zijn naar binnen te klimmen. De man in het witte pak zit nog steeds op de muur. De beide inbrekers uit Wapenveld staan op het kerkhof naast de man met het witte haar. De man op de muur wenkt naar een vijfde man. Ze hebben blijkbaar versterking gekregen. Even later verschijnt er een hoofd boven de muur. Een man met een pleister op zijn voorhoofd. Steven herkent hem onmiddellijk. Het is Philippe de butler.

Naast hem klinkt de verontwaardigde stem van de baron.

'Philippe! Die verrader. Dat verklaart een hoop. Hij neemt meestal de telefoon aan. Hij wist van de foto's.'

'Maar wie heeft hem dan neergeslagen?' vraagt Herbert zich hardop af.

'Wat denk je? Hij heeft zichzelf die verwonding toegebracht. Even de tanden op elkaar en niemand verdenkt je meer. Jammer voor jou, Philippe, maar nu loop je toch nog tegen de lamp.'

'Zullen we naar beneden gaan?' vraagt Herbert grimmig. 'Ik lust hem rauw.'

'Welnee', zegt de baron met een slim glimlachje. 'Dat laten we aan anderen over.'

'Wat bent u van plan?' wil pa weten.

167

'Dat zul je zo zien. Eerst eens kijken wat de heren daar beneden gaan doen. Het is nu nog te vroeg.'

'Te vroeg voor wat?'

Maar de baron geeft geen antwoord.

Diep onder hen staan de heren inmiddels alle vijf op het kerkhof. De man in het witte pak heeft de ladder omhooggehaald en tegen de andere kant van de muur gezet. Hij is net naar beneden geklommen. Ze laten de ladder tegen de muur staan en lopen het kerkhof op. Ze naderen de toren door een van de gangpaden. De man met de lichtgrijze haardos houdt het stapeltje foto's in de hand. Hij wijst op de kerkmuur. Het duurt geen vijf minuten voor ze voor de graftombe met de treurende engelen staan. Dusseljee en Kirsten staan inmiddels ook mee te kijken.

'Nou gaan ze er met de schat vandoor', bromt Kirsten. 'En wij hebben het nakijken.' Niemand zegt iets.

Steven kijkt naar de baron. Blijkbaar heeft die nog een troef achter de hand, maar hij zou niet weten welke. Na het verhaal van Dusseljee kijkt hij onwillekeurig met andere ogen naar de edelman.

Beneden hen wordt druk overlegd. De beide mannen in de donkere pakken duwen tegen het traliewerk, maar dat geeft zo te zien geen centimeter mee.

De man met het grijze haar zegt iets. Boven horen ze zijn stem, maar het is onmogelijk te horen wat hij zegt. De man in het witte pak loopt terug naar de ladder. Hij klimt naar boven, gaat op de muur zitten en hijst de ladder omhoog. Aan de andere kant laat hij hem zakken en klimt naar beneden.

Een paar minuten later klimt hij weer naar boven en gebruikt dezelfde tactiek om weer op het kerkhof te komen. Als hij terugloopt naar de anderen zien ze dat hij in elke hand iets vasthoudt.

'Wat heeft hij daar?'

'In zijn ene hand heeft hij een autokrik en in de andere een zaklantaarn', antwoordt Herbert. 'Ze gaan het hekwerk en de deuren forceren.'

Herbert krijgt gelijk. De man in het wit duwt de uiteinden van de krik met enige moeite tussen de stijlen van het traliehek.

'Dan is dit het juiste moment', zegt de baron grimmig. Hij haalt zijn mobiel uit de zak en tikt een nummer in. Als hij iemand aan de lijn krijgt, verdraait hij zijn stem een beetje.

'Is het met de plisie? Wel meneer, ik woon in Damme vlak bij den Onze-Liever-Vrouwe. En ik kijk uit mijn slaapkamerraam en wat denkt ge dat ik zie? D'r staan daar een paar kerels in nette pakken een graftombe open te breken.'

...

'Awel meneer, ik weet dat het absurd klinkt. Maar ik zie het met m'n eigen ogen. En ik heb niet gedronken als u dat denkt. A wat, daar hebben ze de deuren open. Ze steken een lantaarn aan.'

...

'Wie de beheerder is? Dat weet ik niet, meneer. Maar alsjeblieft, kom deze kant op.'

...

'Ja.'

De baron verbreekt de verbinding. 'Zo, en nu maar wachten tot de cavalerie aan komt galopperen. Ik ben benieuwd wie hier het eerst is, de beheerder of de politie.'

Hij wijst naar de overkant van de zaal. 'Misschien kan een van jullie aan de andere kant gaan staan. Van die kant komen ze.'

Steven steekt meteen de zaal over en kijkt aan de westkant van de toren naar beneden. Links is het vreemde beeld met de twee koppen. Hij heeft er een foto van in de folder gezien, maar het valt hem nu pas op dat het beeld hier vlak naast de toren staat. Rechts is de laan met de bomen. Het duurt maar een paar minuten als er een man met hoge snelheid naar de kerk komt fietsen.

'De beheerder komt eraan.'

Kirsten holt naar hem toe. De man zet de fiets tegen de kerk. Hij kijkt naar alle kanten en loopt dan naar het hek. Steven loopt gauw naar de galmgaten aan de noordkant van de toren. Diep onder zich ziet hij de man in zijn sleutelbos zoeken. Hij vist er een sleutel uit. Blijkbaar hebben ze tegen hem gezegd dat hij voorzichtig te werk moet gaan. Hij draait onhoorbaar de sleutel om en schuift het hek langzaam open.

'Als het goed is, kunnen jullie hem aan zien komen.'

Zelf gaat hij ook naar de oostkant van de toren. De beheerder loopt een paar passen het kerkhof op. Hij kijkt links en rechts, maar ziet blijkbaar niet wat hij verwacht. De mannen zijn alle vijf al in de tombe verdwenen. De beheerder loopt een eindje een pad op.

'Zo ga je de verkeerde kant op, man', bromt Dusseljee.

Even lijkt het of de man hem hoort, want hij keert zich om en loopt terug in de richting van de kerk. Hij kijkt naar de toren.

'Ja, goed zo, deze kant moet je op.'

Steven voelt een rilling over zijn rug. Dan loopt de man in de richting van de toren. Ineens ziet hij het verbogen hekwerk en de openstaande deuren. Hij doet nog een pas dichterbij en loopt dan snel in de richting van het hek. Steven ziet dat hij iets uit zijn zak haalt. Dan is hij langs de ruïne uit het zicht verdwenen. Vlug loopt Steven weer naar de noordkant. Diep onder hem ziet hij de beheerder met zijn hand bij zijn oor staan. Hij belt. Maar Steven ziet nog iets. Een politiewagen stopt bij het begin van de bomenlaan. Twee agenten stappen uit en lopen in de richting van de kerk. De beheerder ziet hen en loopt op een holletje in hun richting. Druk gebarend begint hij te vertellen. Met z'n drieën lopen ze in de richting van het hek.

'De politie is er', zegt Steven. Hij hoort dat zijn stem hees klinkt. Alle zes kijken ze gespannen naar beneden. De beheerder wijst. De agenten doen een paar passen in de richting van de open tombe. Je ziet dat ze even met elkaar overleggen. Een agent pakt zijn mobiel en zegt een paar zinnen. Dan halen ze hun wapens uit de holsters en sluipen langzaam in de richting van de openstaande deuren.

Vlak voor de deuren blijven ze staan. Een van de twee doet een pas naar voren en gluurt naar binnen. Ineens steekt hij zijn hand omhoog en doet een pas achteruit. Hij wenkt de ander achteruit. Ze doen een paar passen in de richting van de toren. Ze praten zacht met elkaar. Blijkbaar hebben ze een glimp opgevangen van de mannen in de tombe.

'Waarom gaan ze niet naar binnen?' fluistert Kirsten.

'Te gevaarlijk', zegt pa. 'Ze weten niet of de mannen gewapend zijn. Ze hebben vast om versterking gevraagd.'

De beide agenten stellen zich elk aan een kant van de tombe op met de wapens in de aanslag.

Steven loopt naar de andere kant van de toren. Versterking moet van die kant komen. Een tijd gebeurt er niets, maar dan ziet Steven een blauwe bus. De zijdeur glijdt open. Mannen met helmen op, kogelvrije vesten aan en een automatisch wapen in de hand hollen in de richting van het kerkhof. Steven rent naar de andere kant.

'Het arrestatieteam komt eraan.'

Dusseljee wijst naar beneden. 'Hier stak net die vent in dat witte pak zijn neus naar buiten, maar toen hij de agenten in de gaten kreeg, sprong hij meteen weer naar binnen.'

Het arrestatieteam rent het kerkhof op. Een van de agenten steekt zijn hand op en wenkt. De mannen hollen in zijn richting. Een kort overleg. Drie van de mannen lopen in de richting van de open tombe. Twee houden de deur onder schot. De derde drukt zich plat tegen de wand. Hij buigt zijn hoofd om de hoek.

'Hier spreekt de politie. Gooi uw wapens op de grond. Kom met uw handen boven uw hoofd naar buiten. Geef u onmiddellijk over. Als u nu niet naar buiten komt, komen wij naar binnen.'

Met zijn handen op zijn hoofd komt de grijze man naar buiten, gevolgd door de twee mannen in de donkere pakken, de man in het wit en de butler. Ze krijgen handboeien om en worden van het kerkhof geleid. De butler loopt met gebogen hoofd. Steven voelt medelijden. 't Was best een aardige man. Maar hij heeft zijn carrière grondig naar de Filistijnen geholpen. Dit vergeeft de baron hem nooit.

Zelfs Dusseljee loopt mee naar de westkant van de toren. Ze kijken naar beneden waar de vijf mannen in de bus van de mobiele eenheid geduwd worden.

Als de bus weggereden is, lopen de politiemannen naar hun wagen. Eentje praat een ogenblik in de mobilofoon. De ander haalt iets van de achterbank. Daarna lopen ze met de beheerder terug naar het kerkhof.

Als ze naar de andere kant van de toren lopen, zien ze dat de beheerder met de twee agenten de graftombe binnengaan.

'Straks vinden ze de schat', fluistert Kirsten. De anderen zeggen niets.

Steven ziet de spanning op het gezicht van de baron. Hij kijkt strak tussen de galmborden door naar beneden. Hij zou wel eens willen weten wat er in het hoofd van de edelman rondspookt.

De agenten blijven opvallend kort in de tombe. Binnen een paar minuten komen ze alweer naar buiten. Een van de politiemannen praat nog even met de beheerder. De ander trekt de deuren van de tombe dicht en brengt een verzegeling aan. Dan lopen ze naar de ingang. Ze horen het hek rammelen. Steven loopt naar de noordkant. De beheerder sluit het hek af en loopt naar zijn fiets. De beide agenten gaan naar hun wagen. Ze rijden vrijwel meteen weg. Steven kijkt naar de beheerder die op zijn fiets wegrijdt.

'Zo', klinkt de stem van de baron. 'Nu is het onze beurt.'

'Wat?' zegt Dusseljee. 'Wil je gewoon het zegel van de politie verbreken?'

'Ja. Het binnengaan van de tombe is sowieso strafbaar. Dus daar wordt het niet anders van. Kom.'

'Maar kunnen die agenten niet terug komen?' wil Kirsten weten. 'Of die beheerder?'

De baron aarzelt even. 'Herbert, blijf jij hier op de uitkijk staan! Als je iemand ziet, bel je onmiddellijk. We hebben dan tijd genoeg om ons uit de voeten te maken.'

Herbert knikt. Hij loopt naar de westkant van de toren waar hij het beste zicht heeft op de toegang tot de kerkruïne.

De anderen dalen de trap af. Via het houten deurtje komen ze op het kerkhof. Zonder aarzelen loopt de baron naar de tombe waar de schat van de tempeliers zich moet bevinden. Het tralie-werk is verbogen. Een politielint is rond een paar van de tralies gebonden. De baron trekt de knoop eruit en verwijdert het lint. Het geeft Steven een raar gevoel. Dit kun je toch niet zomaar doen? Hij voelt er helemaal niks voor om naar binnen te gaan. Jacques trekt het traliehek open. Daarachter zijn de beide deu-ren met de Christusafbeeldingen die als deurknoppen dienst-doen. Rond de beide deurknoppen is een politielint gebonden. Over de beide deurhelften is een zegel geplakt. Er staat iets op over dat je het zegel niet mag verwijderen, maar voor Steven de eerste regel heeft kunnen lezen, trekt de baron het zegel met een ruk kapot. Hij scheurt het lint door en wikkelt het van de oude bronzen knoppen.

'Kijk eens', zegt hij, wijzend naar de beide afbeeldingen van Christus op de deurhelften. 'Heiligen hebben vaak een lichtkrans achter hun hoofd. Een aureool. In het aureool van Christus is altijd een kruis afgebeeld zodat Hij op afbeeldingen meteen opvalt. Moet je eens naar het aureool achter deze hoofden kij-ken.' Hij wijst.

'Dat zijn tempelierskruizen', zegt Dusseljee opgewonden. 'We zitten goed.'

De baron duwt de deuren open. Voor hen gaapt een donker gat.

Steven ziet de eerste treden van een trap die de diepte in leidt.

'We hebben een lantaarn nodig', zegt de baron. 'Herbert heeft er een in de auto liggen.'

De baron belt zijn chauffeur. Dan kijkt hij Steven aan.

'Herbert haalt een lantaarn. Kun je vast de toren in gaan en die van hem overnemen?'

Steven loopt naar de toren en klimt de trap op. De torenkamer is leeg. Herbert is al naar buiten gegaan. Je merkt dat de zon bezig is naar de horizon te zakken. Het is een stuk donkerder dan een uur geleden. Het wordt ook frisser. Steven huivert. Op de trap klinken voetstappen. Het hoofd van Herbert verschijnt in het trapgat. Hij heeft een flinke lantaarn meegenomen. Zo een met een breed licht aan de voorkant, een tl-buisje opzij en een hand-vat waaraan je hem mee kunt nemen. Steven pakt de zaklamp van hem aan en haast zich terug naar de tombe. De baron neemt de lamp van hem over. Hij knipt het voorste licht aan. Helder licht begint te schijnen.

'Ik ga wel als eerste naar binnen.'

Steven ziet dat Kirsten tegen pa aan gaat staan. 'Ik heb hier hele-maal geen zin in.'

Dusseljee legt zijn hand op haar schouder. 'Ik ga met de baron mee. Wij gaan eerst een kijkje nemen. Pas als er beneden niets aan de hand is, halen we jullie. Akkoord?'

'Da's een goed idee', zegt vader. Zijn stem klinkt wat gelaten. Zou hij liever meegaan naar beneden? Steven is blij dat hij het niet doet. Hij kijkt de beide mannen na die de trap afdalen. Bij het licht van de lantaarn ziet hij een korte trap en dan een vloer die geplaveid is met klinkertjes. Dan zijn de beide mannen ver-dwenen. Vaag is nog de klinkervloer te zien. Het lijkt of de baron in de diepte met de lantaarn om zich heen schijnt. Even wordt het weer donker. Dan zien de drie achterblijvers een zwak blauwachtig licht. Even later duikt Dusseljee op.

'Kom maar gerust naar beneden. Er is hier niets engs. Een rechthoekige kamer met een platte stenen tafel in het midden. We hebben net het tl-licht aangedaan. We gaan proberen het laatste enigma op te lossen.'

'Is er geen schat?'

'Nee, het is er helemaal leeg.'

'Kom maar', zegt vader. 'We gaan kijken.'

Pa daalt de trap af. Hij geeft Kirsten een hand. Steven komt er vlak achteraan. Acht treden naar beneden en dan staan ze in een rechthoekige kamer. Steven schat de kamer op een meter of drie breed en zo'n vier meter lang. De hoogte is gewelfd en in het midden een meter of tweeënhalf hoog. In de wanden zijn pilaren met daartussen metselwerk. Midden in de ondergrondse kamer staat een massief stenen blok. Een kleine twee meter lang, een halve meter breed en ongeveer 75 centimeter hoog. De baron heeft de lantaarn erop gezet. Voor hem liggen de kopieën. Vader loopt ernaartoe. 'Hier is niets. Zou de schat al weggehaald zijn?'

Dusseljee zet zijn handen in de zij. 'Misschien is er nooit een schat geweest.' Er klinkt een lichte triomf in zijn stem. 'Dat zou een hoop verklaren. Waarom hebben onze vaders de vindplaats nooit bekendgemaakt? Omdat ze er niets aantroffen. Er was gewoon geen schat. Geen wonder dat mijn vader de aantekeningen bewaard heeft. De jacht op de schat was leuker dan het vinden zelf. Ik vind dat heel verklaarbaar.'

De baron kijkt op van de papieren.

'Er is een zevende enigma. Dat is er niet voor niets.'

Dusseljee haalt zijn schouders op. 'Kijk om je heen. Geen enkele doorgang.'

'Ik heb je toch al gezegd dat de metselaars in de middeleeuwen geen gewone bouwvakkers waren. Zij waren tot veel meer in staat dan wij tegenwoordig.'

'Wat staat er eigenlijk in dat laatste enigma?'

De baron pakt de tekst erbij.

'Duisternis. In de onderwereld schijnt geen licht. Waar is de gang naar het licht? Buig u neder o engel, buig u naar mij neder. Lichtdrager, nijg je. Toon mij de weg naar het licht. De lange tunnel die naar de hemel leidt.'

'Nou, da's weer mooie abracadabra', zegt Kirsten. Haar stem klinkt nerveus. Ze voelt zich hier duidelijk niet op haar gemak.

'Duister is het hier wel', zegt Dusseljee. 'Dat heeft de monnik goed gezien. Die zal hier wel met een fakkel gestaan hebben. Een fakkel is een lichtdrager trouwens.'

Hij kijkt om zich heen. Tussen de pilaren aan de gemetselde wanden steken metalen houders uit de muur. Daar konden vroeger de fakkels in gezet worden.

'Verhip, zouden die dingen willen nijgen?' Hij schuifelt ernaartoe, pakt er een beet en trekt. Het ding geeft geen millimeter mee.

'Hm, dat is het dus niet.' Voor alle zekerheid loopt hij naar de volgende en geeft er een ruk aan. Deze blijkt doorgeroest en breekt af. Metselzand regent op de vloer. Robert Dusseljee staat met de ijzeren ring in zijn hand. 'Oeps, dat was niet de bedoeling. Ik wil de boel hier niet afbreken.'

Vader laat de camera flitsen. Het felle flitslicht doet pijn aan de ogen in deze duistere ruimte. Hij laat de camera zakken. 'Een gang naar het licht. Dat kan twee dingen betekenen. Een gang naar het licht kan een wandeling naar het licht zijn. Maar een gang kan ook letterlijk zijn. Een geheime gang dus.'

'Er is hier maar een gang naar het licht', zegt Kirsten. Ze wijst naar de uitgang. 'En als we nog lang wachten is het daar ook niet licht meer. Kunnen we morgen niet terugkomen?'

'Morgen komen geheid de politie en de beheerder terug. Die zullen het zaakje wel zo afsluiten dat we er niet weer zo makkelijk in komen.'

Kirsten zegt niets, maar haar blik zegt genoeg. Steven kijkt nog

eens naar de fakkelhouders. Dat idee van Dusseljee is zo gek nog niet. Nijgen is vooroverbuigen. Zou zo'n houder niet een hendel kunnen zijn? Een hendel om iets in beweging te zetten. Hij loopt naar de houder het dichtst bij hem. Hij pakt de ring beet en trekt voorzichtig. Er gebeurt niets. De ring is stevig in de muur verankerd. Hij kijkt naar de anderen. Vader heeft zijn arm om Kirsten heen geslagen. Dusseljee en de baron buigen zich weer over de papieren. Steven loopt naar de volgende fakkelhouder. Hij pakt de ring beet. De houder buigt naar hem toe. In de muur klinkt geschuif. Met een kreet laat Steven de ring los.
'Er beweegt iets in de muur.'

HOOFDSTUK 18

De gang naar het licht

D e anderen kijken in zijn richting.
'Hoezo, er beweegt iets in de muur?'
'Ik trok aan deze ring. Hij zakt naar voren en ik hoorde iets bewegen achter deze wand.'
De baron komt bij de stenen tafel vandaan en loopt naar de wand. Zijn handen glijden over de bakstenen wand.
'Dit moet het zijn. Deze wand beweegt. Als de fakkelhouder omhoog staat, is de wand vergrendeld, maar als hij naar voren staat, zijn de grendels eraf.' Hij zet vlak bij een van de pilaren zijn schouders tegen de muur.
'Hij beweegt. Help eens mee.'
Pa en Dusseljee schieten toe. Steven ziet dat de muur een scharnierpunt in het midden heeft. De wand draait om zijn as. De ruimte tussen de pilaren ligt open. Bij het lantaarnlicht zien ze een donkere gang.
De baron pakt de lantaarn en knipt de voorste lichtbundel aan. Hij laat het licht in de tunnel schijnen. 'Zo te zien is de gang een meter of tien lang en gaat dan over in een bredere ruimte.'
'We hebben maar één lantaarn', zegt Jacques. 'Wie niet mee wil, kan dus beter naar boven gaan.'
Pa kijkt naar zijn kinderen. 'We gaan mee.' Kirsten knikt zuchtend.
De baron gaat voorop. Ze schuiven langs de nu gedraaide wand de gang in. Ook hier is de vloer van baksteentjes. De gang is inderdaad niet veel langer dan een meter of tien.
'Volgens mij zijn we onder de kerk.'

Aan het eind van de gang is een trapje met twee treden. Dan staan ze in een gewelfde ruimte.

'Dit is een kelder onder de kerk', zegt Dusseljee.

'Dit moet de crypte zijn. Slim bekeken van de monniken. Het werk aan de kerk kwam stil te liggen. De crypte zit onder de kerk en was dus al lang klaar. De monniken sloten deze ruimte van boven af. Ze maakten een zijgang naar het kerkhof. Een van de tombes werd de ingang. De kerk zou vervallen tot een ruïne, men zou vergeten dat er ooit een crypte geweest was. Grafroven is een ernstig misdrijf. Niemand zal het in zijn hoofd halen om zomaar een tombe te openen. Heel slim bekeken.'

'Dat kan wel zijn', zegt pa. 'Maar ik zie geen schat.'

'Die is er nooit geweest', zegt Dusseljee. 'Ik weet zeker dat onze vaders deze ruimte gevonden hebben. Omdat er niks in lag, hebben ze alles weer netjes afgesloten en hebben ze afgesproken er niet over te praten.'

Vader schudt zijn hoofd. 'Waarom hebben de monniken deze ruimte gemaakt als er geen schat was?'

Dusseljee spreidt zijn handen. 'De schat kan al eeuwen geleden door iemand gevonden of geroofd zijn.'

Hij zucht. 'Had ik dit maar geweten. Had mijn vader er maar met me over gesproken. Als de schat er niet meer lag, dan had hij dat toch rustig kunnen doen? Waarom vertrouwde mijn vader me dit niet toe?'

Er komt een grimmige blik in de ogen van de baron.

'Laten we op zoek gaan naar aanwijzingen. Bewijzen of hier ooit iets gelegen heeft.'

'Hadden we maar meer lantaarns.'

'Zo lukt het wel.'

Systematisch zoeken ze de wanden af. Ze trekken aan elke toortshouder. Allemaal zitten ze muurvast. Niet een is in beweging te krijgen. Het enige wat ze vinden is een stukje perkament. De baron wrijft erover.

'Er zijn dus wel documenten geweest. Ik ben bang dat je gelijk hebt, Robert. Iemand is ons voor geweest.'

Hij zucht. 'Laten we maar gaan. We hebben hier niets meer te zoeken.'

Bij het licht van de lantaarn lopen ze terug naar de tombe. Ze duwen de muur terug op zijn plaats en duwen de toortshouder omhoog. In de muur klinkt een krassend geluid. De grendels schuiven op hun plaats.

Steven voelt zich leeg als hij de trap naar buiten opklimt. Wat een tegenvaller. Wat een spanning en angst voor niets. Buiten is het schemerig geworden. De scheefgezakte tombes en treurende engelenbeelden geven het kerkhof een naargeestige sfeer. Dusseljee en de baron sluiten de tombe zo zorgvuldig mogelijk af. Het zegel kan er niet meer op, maar het politielint wikkelen ze terug om de bronzen knoppen. Het traliewerk duwen ze op z'n plaats. Het lint vouwen ze wat provisorisch om de spijlen. De politie zal toch in een oogopslag zien dat het zegel verbroken is. Via de toren komen ze aan de andere kant van de kerk. Herbert peutert het steentje uit het slot en trekt de deur achter zich dicht. Hij lacht grimmig.

'Leuk raadsel voor de politie hoe we op het kerkhof gekomen zijn. De deuren zijn op slot en de ladder staat nog aan deze kant van de muur.'

Met de limousine rijden ze terug naar Brussel. Onderweg wordt niet veel meer gesproken. Steven laat zijn hoofd tegen de armleuning rusten. Het Belgische landschap glijdt aan hem voorbij. Zijn ogen worden zwaar.

'Hé, we zijn er, slaapkop.'

Steven veert overeind. De limousine staat voor het bordes van Val Duchesse. Hij wrijft zijn ogen uit. Herbert houdt de deur voor hem open. Een beetje wankel komt hij de luxewagen uit. Het liefst zou hij zo doorlopen naar een lekker zacht bed.

Pas als ze in de serre zitten, komt hij een beetje bij. Hij ziet dat Kirsten ook geeuwt. Als hij op zijn horloge kijkt, ziet hij dat het al tien uur geweest is.

'Slapen we hier of brengt u ons naar een hotel?' vraagt pa.

'Als u wilt, kunt u hier slapen. Er zijn gastenverblijven voldoende.'

'Dan maken we daar graag gebruik van. Als ik mijn kinderen goed inschat, gaan ze het liefst zo gauw mogelijk onder de wol.'

Steven knikt en Kirsten steekt haar duim op. Ze zien dat de hand van de baron naar het schelkoord gaat, dan schudt hij zijn hoofd.

'Ik zal jullie er even heenbrengen. Kom maar mee.'

Ze lopen de serre uit. De baron gaat hun voor naar de hal. Daar klimmen ze de monumentale trap op. Hij neemt hen mee naar de rechtervleugel van het gebouw. In een zijgang bevinden zich vijf deuren.

'Deze eerste drie kamers kunnen jullie gebruiken. Elke kamer heeft een eigen toilet en badkamer. Als ik uw autosleutels mag, vraag ik Herbert uw koffers te brengen.'

'Dat doe ik zelf wel, als u het goedvindt', zegt pa. 'We hebben maar één koffer bij ons. Als jullie je wassen, dan breng ik jullie spullen als jullie klaar zijn.'

Vader loopt met de baron terug naar de hal. Steven en Kirsten openen de eerste drie deuren. De slaapkamers erachter hebben elk een eigen sfeer.

'Mag ik in die groene kamer?' vraagt Kirsten.

'Maakt me niks uit. Ik neem die met dat gele behang wel.'

Elk verdwijnen ze in een kamer. Steven knipt de plafonnière aan. Hij kijkt zijn kamer rond. Deze kamer is minstens vier keer zo groot als zijn eigen kamer. In het midden staat een tweepersoonshemelbed met gordijnen. Hij duwt op het matras. Heerlijk zacht. De twee ramen aan weerskanten bieden uitzicht op tuinen. Het is inmiddels zo donker dat er niet veel meer te zien is. Een eind verderop spuit een verlichte fontein omhoog. De torens van het oude slot steken boven de bomen uit. Er staan lampen op gericht die het geheel een sprookjesachtige sfeer geven. Steven geeuwt. Links zijn twee deuren. Achter de eerste vindt hij een grote inloopkast. Waar alle kleren die hij heeft gemakkelijk in zouden passen en die van Kirsten, pa en ma erbij. De deur ernaast leidt naar een badkamer. Een ligbad, een douche en een dubbele wastafel. Handdoeken hangen klaar. Washandjes ziet hij niet. Wel een klein handdoekje. Daar moet het ook wel mee lukken. Hij trekt zijn kleren uit en peutert het papier van een gastenzeepje. Als hij zich wast, hoort hij naast zich de kamerdeur opengaan.

'Je spullen liggen op je bed, hoor', klinkt de stem van pa.

'Jo, prima.'

Als hij zich opgefrist heeft, pakt hij zijn pyjama. Hij knipt de lampen naast het bed aan en doet de plafonnière uit. In de deur steekt een sleutel. Hij draait de kamer op slot en kruipt in het tweepersoons bed. Hij schuift de kussens omhoog en gaat ertegenaan zitten. Hij vouwt zijn handen en doet zijn avondgebed. Hij merkt dat het stormt in zijn hoofd zodat hij de zinnen niet goed kan formuleren. Telkens dwalen zijn gedachten af. Ten slotte zegt hij maar amen. Hij laat een van de twee bedlampen aan en draait zich op zijn zij. Het slapen zal na zo'n dag wel niet zo gauw lukken.

Hij wordt wakker doordat het zonlicht over zijn gezicht valt. Wat? Hij is blijkbaar toch meteen in slaap gevallen. Hij kijkt op zijn horloge. Halfnegen. Dom dat hij de gordijnen niet dicht heeft gedaan. Zal hij ze dichtdoen en proberen nog wat te dommelen? Nee, hij is nu toch wakker. Eigenlijk heeft hij wel trek. Hij frist zich op in de badkamer en trekt zijn kleren aan. Als hij de gang op loopt, ziet hij de deur van vaders kamer openstaan. Als hij zijn hoofd om de hoek steekt, ziet hij dat pa zijn bed rechtgetrokken heeft.

'Bent u in de badkamer?'

Er klinkt geen antwoord. Als hij de gang oploopt, gaat de deur van Kirstens kamer open. 'Was jij dat?'

'Ja, heb ik je wakker gemaakt?'

'Neuh, ik was al wakker.'

'Ik ga kijken waar de anderen zijn.'

'Oké, ik kom zo.'

Steven loopt naar de trap en daalt af naar de hal. Hij hoort stemmen uit de serre. Vader, Dusseljee en de baron zijn al op. Ze zitten in ruime stoelen van een kopje koffie te genieten terwijl de kok samen met Herbert de tafel klaarmaakt voor het ontbijt.

'Ha, ben je wakker?'

'Ja, ik had de gordijnen niet dichtgedaan.'

'Maakt niet uit. Het is een prachtige dag. Brussel wacht op ons. Heb je Kirsten al gezien?'

'Ja, ze is wakker. Ze komt er zo aan.'

De baron zet zijn kopje op het lage tafeltje naast zich.

'Zullen we dan maar aan het ontbijt gaan? Hillebrand heeft net een seintje gegeven. De tafel staat klaar.'

Steven loopt meteen door naar de tafel. Hij aarzelt even waar hij zal gaan zitten. Misschien heb je wel vaste plaatsen. Maar de baron maakt een uitnodigend gebaar. Steven trekt de zware stoel een eindje naar achteren en gaat zitten. In de deuropening verschijnt Kirsten.

'Mag ik ook nog mee doen?' vraagt ze spontaan.

De baron wijst haar een stoel. Achter haar rug sluit Herbert de deur. Hij blijft staan met zijn handen op zijn rug. Herbert zal wel tijdelijk butler zijn.

'Heb je nog iets van Philippe gehoord?' wil Dusseljee weten.

'Sterker nog, ik heb hem vanmorgen in alle vroegte in het huis van bewaring bezocht. De burgemeester is een vriend van me en heeft ervoor gezorgd dat ik naar binnen kon. Philippe heeft alles toegegeven. De man met het grijze haar is een grootmeester van de loge in Groningen. Hij is een rijke industrieel. Of je vader ooit tegenover hem zijn mond voorbijgepraat heeft, zullen we nooit weten. Hij had in ieder geval een vermoeden dat de schat er moest zijn. Tijdens de begrafenis van je vader heeft hij Philippe erover uitgehoord en hem het hoofd op hol gebracht. Daar herinner ik mij hem ook van. Philippe beloofde de grootmeester dat als de foto's ooit op zouden duiken, hij meteen contact met hem op zou nemen. Die grootmeester heeft alles in gang gezet. De twee mannen die inbraken zijn onderdirecteuren van zijn bedrijf. Ze deden precies wat hij zei met als vooruitzicht een deel van de opbrengsten van de schat.'

'En die man in het witte pak?'

'Dat is iemand van de vrijmetselaars van Antwerpen. Een kennis van de grootmeester.'

'Wat gebeurt er met hen?'

'Dat weet ik niet. Philippe is me altijd trouw geweest. Maar ik wil hem niet meer in dienst hebben. Dat is voor hem al een hele straf. Ik zal mijn best doen hem uit de gevangenis te houden. Maar of dat gaat lukken, kan ik nu nog niet beoordelen.'

'Tjonge', zegt vader. 'Nu vallen alle puzzelstukken op hun plaats. Ik vroeg me ook al af waarom die mannen steeds alles van ons wisten. Het was Philippe die hier alles afluisterde en dat meteen aan hen doorseinde.'

Steven ziet dat pa even aarzelt. De baron ziet het ook.

'Volgens mij wilde je nog iets zeggen.'

'Nou, begrijp me niet verkeerd. Ik heb zelfs een ogenblik gedacht dat u er zelf achter zat. Dat het doorgestoken kaart van u was om met behulp van ons de schat te vinden.'

Steven aarzelt. Hij kijkt naar Dusseljee. 'Dat vond u ook, hè?'

Robert houdt zijn hoofd wat scheef. 'Niet dat ik jou niet vertrouw, maar het ging me allemaal veel te makkelijk.'

De baron legt zijn mes neer. Hij kijkt ernstig naar zijn bord. Dan heft hij zijn hoofd op.

'Jullie hebben meer gelijk dan jullie denken. Ik heb jullie allemaal bedrogen vanaf het begin.'

Steven kijkt geschrokken op. In zijn ooghoeken ziet hij dat Herbert wijdbeens voor de deuropening gaat staan.

HOOFDSTUK 19

De schat van de tempeliers

De stoffen kap die Steven over het hoofd heeft, kriebelt. Hij kan er absoluut niets door zien. Hij zit op de achterste bank van de limousine. Erg makkelijk zit hij niet. Zijn handen zijn op zijn rug vastgebonden. Gelukkig niet zo strak dat het zeer doet. Maar op een autostoel zitten met je handen op je rug is niet aangenaam. Hij weet dat pa naast hem zit, maar hij kan hem niet zien. Als hij naar beneden kijkt, ziet hij een klein stukje van zijn overhemd. Dat is alles.

De limousine komt in beweging. Grind knarst onder de banden. Zou hij kunnen onthouden waar ze langsgaan? Ze rijden nu door het park van Val Duchesse. Hij hoort de wieltjes van het elektrische hek. Ze verlaten het terrein. De wagen slaat linksaf. Dat is in de richting van de stad. Na een paar minuten is Steven de oriëntatie al kwijt. Ze staan stil voor stoplichten, dan gaan ze naar links, een paar keer naar rechts. Door de kap hoort hij het verkeer. Optrekkende auto's, een langsrijdende motor. Eén keer een ambulance. Zouden ze langs een ziekenhuis gereden zijn? Na een tijd rijden ze blijkbaar op een snelweg. De wagen rijdt een stuk sneller. Het zachte tikken als Herbert richting aangeeft. Ze stoppen voor een stoplicht. Linksaf. Na een tijdje wordt het rustiger. De wagen rijdt langzamer. Hoe lang zijn ze onderweg geweest? Steven heeft geen idee. Het kan een half uur zijn, maar net zo goed een uur. Hoe ver ze inmiddels van Val Duchesse verwijderd zijn, weet hij niet. Steven hoort opnieuw grind knarsen. Rijden ze weer door een park of over een oprit?

Grind heb je niet op de gewone weg. Al gauw komt de limousine tot stilstand.

Steven hoort de portieren voor opengaan. De baron en Herbert stappen uit. Herbert zit aan dezelfde kant als pa en de baron zal het portier aan zijn kant wel opendoen. Naast hem zwaait het portier open

'Kom er maar uit.' Het is inderdaad de baron.

Hij voelt een hand onder zijn oksel. 'Kom mee, deze kant op.' Steven kan onder de kap door net langs zijn shirt naar beneden kijken. Hij ziet zijn schoenen. Ze lopen over vrij grof grind.

'Kijk uit. Hier begint een trap.'

Steven stoot met zijn tenen tegen een tree. Aarzelend doet hij een pas omhoog. Voorzichtig zet hij zijn voet op de onderste tree en doet een stap naar voren. Hij voelt de greep van de baron vaster om zijn arm. Ze lopen een gebouw binnen. Het is er fris. Af en toe vangt hij voor zijn voeten een glimp op van heel oude plavuizen. Ze lopen ongetwijfeld in een oud gebouw. De baron laat hem los. Er rammelt een sleutel in een slot. Ze lopen nog een gang door. Achter zich hoort Steven de voetstappen van zijn vader en Herbert die pa door de gangen leidt. Weer rammelt een sleutel.

'We gaan nu een trap af naar beneden. Het is een wenteltrap. Doe voorzichtig.'

Steven voelt dat de baron hem opnieuw bij de arm pakt. Hij voelt de eerste treden. Hij leunt met de schouder tegen de wand om enig houvast te hebben. De baron loopt een tree voor hem en houdt hem vast.

Stevens schouder doet zeer als ze eindelijk beneden aankomen. Het ruikt hier niet fris. Waar gaan ze naartoe? Weer lopen ze een eindje door een gang. Dan laat de baron hem los.

'Herbert, help even.'

Er klinkt een knarsend geluid. Even later voelt Steven opnieuw de hand van de baron om zijn arm. 'Nu moet je even bukken.'

De baron legt zijn hand tegen zijn achterhoofd. In gebogen houding loopt hij vooruit. Jacques haalt zijn hand weg en Steven durft weer rechtop te gaan staan. De kelderlucht is verdwenen. Het lijkt hier zelfs iets warmer dan in de gangen waar ze tot nu toe door gelopen zijn. Weer klinkt het knarsen.

De baron kucht.

'We zijn er. Tijd om jullie uit je onaangename situatie te halen. Het spijt me dat het zo moest. Maar jullie begrijpen het, anders hadden jullie er niet in toegestemd.'

De kap wordt van Stevens hoofd getrokken. De baron legt de kap op een tafel. Herbert legt de kap die vader over het hoofd gehad heeft ernaast. Vader schudt even met zijn hoofd. Zijn haar hangt in de weg. Herbert pakt een tangetje en knipt de tie-wraps door. Vader wrijft over zijn polsen. 'Achteraf had ik liever in een geblindeerde auto gezeten. Dit was een onaangename rit.'

'Ik had jullie hier toch een blinddoek voor moeten doen', antwoordt de baron.

Herbert heeft pa's koffertje met zijn camera op de tafel gezet. Pa opent het koffertje en begint zijn camera in stelling te brengen. Steven kijkt om zich heen. Ze staan in een ronde gemetselde ruimte. In de wanden zijn paarsgewijs tegenover elkaar vier deuren. Toch heeft Steven sterk het gevoel dat ze niet door een van die deuren binnen zijn gekomen. De baron gaat op een hoek van de tafel zitten.

'Ik denk dat het tijd wordt volledig opening van zaken te geven. Op Val Duchesse heb ik al een tip van de sluier opgelicht. Dusseljee en je dochter waren tevreden met de verklaring die ik daar afgelegd heb. Ton, ik wilde jou graag mee hiernaartoe nemen. Jij wilde dat Steven meeging, omdat je gewend bent met hem samen te werken. Dat vind ik prima. Het spijt me nogmaals dat ik jullie vast heb moeten binden. Maar jullie hadden anders de kap van jullie hoofd kunnen trekken. En de plaats waar we ons nu bevinden moet absoluut geheim blijven. Ik ben blij dat jullie hier zijn. Jullie hulp kan van grote betekenis zijn voor mijn onderzoek.'

Hij wacht even alsof hij nadenkt hoe hij zijn verhaal zal vertellen.

'Laat ik beginnen bij de voorgeschiedenis. Zoals jullie weten, kreeg mijn vader het verhaal van de monnik in handen. In zijn eentje lukte het niet om de tekst te doorgronden. Hij haalde zijn vriend en medevrijmetselaar professor Dusseljee naar België. Samen ontcijferden ze de tekst en losten de enigma's op. Dat kostte hun heel wat meer tijd dan ons. Ze vermoedden dat er zeven enigma's in de tekst verborgen zaten, omdat dat bij tempeliers een heilig getal is. Ze maakten kopieën, zodat ze makkelijker de tekst konden ontleden. Ze vonden de enigma's en maakten een vertaling. Net als wij maakten ze de tocht van Brugge via Lissewege naar Damme. Omdat zij geen aantekeningen hadden en alles zelf moesten bedenken, duurde het in hun geval meer dan een week. Uiterst voorzichtig openden ze de tombe van de tempeliers. Ze vonden de beweegbare toortshouder en de erachter gelegen gang. In tegenstelling tot ons troffen ze er wel de schat aan. Ik kan jullie niet vertellen waaruit de schat precies bestaat. Dat is en blijft het geheim van mij en mijn familie. Ik voel mijzelf een nazaat van de tempeliers. Ik vind dat het bewaken van de schat mij en mijn nakomelingen opgedragen is.'

'Moeten we dan denken aan zaken als de ark van het verbond of de heilige graal?' vraagt pa ongelovig.

De baron aarzelt even. 'Dat ga ik u niet vertellen. Het gaat in ieder geval om zaken die, als ze openbaar zouden worden, wereldnieuws zouden zijn. Maar laat ik mijn verhaal verder afmaken. Onze vaders besloten de schat te laten waar hij was. Maar omdat professor Dusseljee zijn aantekeningen per se wilde meenemen, was mijn vader er niet zeker van dat de schat nooit door iemand anders ontdekt zou worden. Met de aantekeningen erbij zou de schat makkelijk te vinden zijn. En dat bleek te kloppen. Binnen een dag ontdekten jullie de verblijfplaats, zonder dat ik veel aanwijzingen gaf. Mijn vader en ik vermoedden dat al en besloten de schat naar een andere, veiliger plaats te brengen. Jullie bevinden je hier in een oude gevangenis. Rondom je zijn vier cellen.'

Steven ziet een dikke eiken deur in iedere wand.

'Jullie zijn niet door een van de deuren binnengekomen', gaat de baron verder. 'Hoe jullie er wel in zijn gekomen, is een tempeliersgeheim. Zonder mijn hulp kunnen jullie hier nooit meer uit. Zelfs als jullie zouden weten waar we ons bevinden, zou het jullie niet lukken om hier uit te komen. Achter die deuren bevindt zich de schat van de tempeliers. Eén deur zal ik openen, namelijk de deur waarachter zich de documenten bevinden. Dat is ons doel. Daarvoor zijn we hier.'

'Maar waarom hebt u ons meegesleept dit avontuur in?' wil Steven weten.

De baron knikt. 'Dat zal ik uitleggen. Toen Dusseljee de foto's toch bleek te hebben, belde hij me. Ik vroeg hem de foto's te komen brengen. Ik was zo dom om niet naar de negatieven en de aantekeningen te vragen.

Toen Dusseljee hier aankwam, heb ik hem gevraagd meteen de rest te halen. Toen heeft hij jullie gebeld en werden de kopieën gestolen. Het moest haast wel iemand van mijn personeel zijn. Maar wie? Ik had direct al een verdenking tegen Philippe, maar er was geen bewijs. Philippe wist dat als hij alleen de foto's had, anderen nog gebruik van de negatieven en de aantekeningen konden maken. Bovendien had hij uit de gesprekken die ik met Dusseljee had wel door dat je alleen met de foto's de schat nooit zou vinden. De aantekeningen, daar ging het om. Hij belde meteen met de grootmeester van de loge in Groningen. Die stuurde er twee van zijn ondergeschikten op af. Nette directieleden, die normaal nooit zoiets zouden doen, maar toen ze de keuze hadden tussen ontslagen worden of deelgenoot worden aan een schat, hoefden ze niet lang na te denken. Ze braken in en stalen de negatieven. Dat dachten ze tenminste, maar jullie waren hun te slim af.

Waar jullie woonden, konden ze niet achterhalen, maar Philippe kwam er wel achter dat jullie de foto's naar het Atomium zouden brengen. Hij besloot zich voor te doen als mij en stuurde jullie met een smoes naar een andere ontmoetingsplaats. Omdat hij zelf moeilijk kon gaan, belde hij zijn neef in Antwerpen die ook in het complot zit. Die lukte het wel om de negatieven te bemachtigen. Gelukkig had jij opnames en konden we toch nog uit de voeten.'

'Toen had u toch al wel open kaart met ons kunnen spelen?' vindt vader.

'Dat is misschien wel waar, maar dan had ik Philippe nooit ontmaskerd. Bovendien wilde ik weten of onze tegenstanders met de aantekeningen de schat zouden vinden. Bijna net zo makkelijk als wij, vonden ze met de vertalingen de plaats waar de schat gelegen heeft. Jullie kunnen je voorstellen dat ik blij ben dat de schat hier veilig ligt. De temperatuur en vochtigheid worden zo gehouden dat het de documenten beschermt.'

Hij aarzelt even.

'Eerlijk gezegd had ik nog een reden om juist met jullie in zee te gaan. Meteen toen ik de afdrukken van de documenten zag, was ik enthousiast over je foto's. Ik had direct al het plan je hier mee naartoe te nemen, maar ik wilde eerst wel eens weten wat voor vlees ik in de kuip had.'

'Dus we zijn geslaagd voor het examen?'

'Dat kun je wel zeggen.'

De baron wipt van de tafel.

'We zijn hier voor de documenten. Toen ik zag wat jij met je camera kunt doen, was ik meteen geïnteresseerd. Jullie begrijpen dat ik hier niet elke dag naartoe kan gaan om de documenten te bestuderen. Maar Ton, als jij foto's maakt en mij leert hoe ik die kan bewerken, zodat ik ieder klein detail bekijken kan, hoef ik hier nauwelijks meer naartoe. Je hebt een nieuwe geheugenkaart van me gekregen, die kaart krijg ik na afloop van je, zodat ik de enige ben en blijf die de afdrukken heeft.'

Pa glimlacht even.

'U hebt van dit avontuur wel geleerd dat je als fotograaf soms nog een troef achter de hand hebt.'

De edelman glimlacht. Uit een tas haalt hij handschoenen. Hij geeft pa en Steven ook een stel. 'We mogen de documenten niet met de handen aanraken.'

De baron pakt een sleutelbos en opent een van de deuren. Steven kijkt nieuwsgierig naar binnen. Als dit een gevangenis geweest is, dan had de gevangene niet veel ruimte. De cel is niet veel groter dan een flinke inloopkast. Maar de andere cellen kunnen best veel groter zijn. Langs de wanden zijn schappen aangebracht. Daarop liggen bundels documenten. De baron haalt er een stapel uit en legt ze op de tafel. Vader kijkt er eens kritisch naar.

'We doen het zoals we het altijd doen, Steven. Jij legt de documenten een voor een onder mijn lens, zodat ik alleen maar hoef af te drukken. Leg de documenten omgekeerd op een nieuwe stapel. Zo blijft alles op dezelfde volgorde liggen. Als de baron de stapel brengt die hij gefotografeerd wil hebben en de stapels teruglegt die klaar zijn, kunnen we heel veel doen in vrij weinig tijd.'

Het volgende uur wordt er weinig gesproken. De baron brengt de stapels, Steven legt ze onder de lens en pa drukt af. Zo werken ze stapel voor stapel af. Steven merkt aan de baron dat hij bijzonder in zijn nopjes is. Die heeft genoeg onderzoeksmateriaal voor de rest van zijn leven. Hoe lang ze precies bezig zijn geweest kan Steven niet zeggen. De baron heeft hun gevraagd hun horloges thuis te laten. Maar ten slotte is ook de laatste stapel vastgelegd.

Steven kijkt teleurgesteld als de baron de stapel weglegt en de deur afsluit.

Blijkbaar ziet de edelman het.

'Wat hierachter ligt, vind jij niet echt een schat, hè?'

'Nee', geeft Steven toe.

'Terwijl we aan het werk waren, heb ik nagedacht', zegt de baron. 'Ik kan jullie niet alles laten zien. Maar het deel dat nog het meest op een schat lijkt wel.'

Hij pakt de sleutelbos en opent een andere deur. De ruimte erachter is iets groter dan de documentenkamer. Ook hier staan schappen langs de kant. Ze steunen op zware metalen palen. Op de schappen staan kisten. De baron knipt een licht aan. Hij tilt het deksel van een van de kisten op de laagste planken op. Steven hapt naar adem als hij de inhoud ziet. Gouden schalen en kettingen. Zoals je je een piratenschat voorstelt. De baron opent nog een deksel. Deze kist zit vol gouden munten.

Steven fluit zacht tussen zijn tanden. 'Zitten al deze kisten vol?'

De baron knikt. Hij bukt zich en neemt een handvol munten uit de kist. Hij spreidt ze over zijn hand en pakt er, nadat hij ze zorgvuldig bekeken heeft, vier uit.

'Jullie krijgen alle vier een munt van me als aandenken aan dit avontuur', zegt hij terwijl hij de munten aan vader geeft.

'Wilt u hier ook nog foto's van gemaakt hebben?'

'Nee, dat lijkt me niet verstandig.'

Pa haalt de geheugenkaart uit zijn camera en doet hem in het plastic beschermhoesje.

'Een schat in het klein.'

'Absoluut', zegt de baron tevreden. 'Zullen we teruggaan naar Val Duchesse?'

Steven kijkt nog eens naar de kisten. 'Dit past toch nooit op een hooiwagen?'

'Dat klopt', antwoordt de baron. 'Ik vermoed dat de tempeliers de schat eerst in Parijs verstopt hebben en pas later op transport naar België hebben gezet toen de schuilplaats hier klaar was. De tempeliers waren experts in transporten. Ze zullen een hooiwagen gebruikt hebben, maar meerdere keren gereden hebben. Hoe het precies gegaan is, zullen we wel nooit weten.'

Pa en Steven krijgen de kappen terug over het hoofd en nieuwe tie-wraps om de polsen. Geholpen door Herbert en de baron lopen ze voetje voor voetje terug naar de auto. De terugweg lijkt iets korter te duren, maar dat kan ook verbeelding zijn. Bij Val Duchesse mogen de kappen weer af en worden de tie-wraps weer losgeknipt. Het is al middag, en de maaltijd staat op tafel. In de gang schiet Kirsten hem aan.

'Heb je de schat gezien?'

'Absoluut. Hij ligt in een oude kerker ergens diep onder een gebouw. Er zijn daar vier deuren. De baron heeft er twee opengemaakt. Achter de eerste lagen alleen maar oude documenten. Maar achter de tweede lagen kisten vol met goud.'

'Wow, dan had ik misschien toch mee moeten gaan. Maar ik heb ook een fantastische morgen gehad. Ik ben met meneer Dusseljee met de metro naar het Jubelpark geweest. Da's niet eens zo ver hier vandaan. Er is daar een oorlogsmuseum. Dat moet je echt zien.'

'Ben jij erin geweest?'

'Eventjes. 't Is gratis, dus je loopt zo naar binnen. Joh, je weet niet wat je ziet. Harnassen, van die Napoleonpakken en tanks. We zijn er al gauw weer uit gegaan. Dusseljee kon me helemaal niet bijhouden. En ik wilde eigenlijk met jou gaan kijken. Jij vindt dat vast nog leuker dan ik. Jij weet altijd precies wie vroeger allemaal met elkaar aan het knokken waren.'

'Super, hé, *thanks*.'

Een paar minuten later zitten ze aan de lunch. Pa en Steven praten niet over hun tocht en de anderen vragen er niet naar.

'Hier vlakbij is een oorlogsmuseum. Kirsten is er met Dusseljee geweest. Daar zou ik ook wel heen willen.'

Pa kijkt op zijn horloge. 'Nou, dat kan nog wel denk ik.'

Hij kijkt naar de baron.

'Jullie hebben groot gelijk', zegt de edelman. 'Wil je een chauffeur mee?'

'Nee', glimlacht pa. 'Ik ga liever met m'n eigen auto.'

'Ik reken erop dat jullie hier de nacht doorbrengen.'

'Dat vind ik prima. Het lijkt me leuk straks met de kinderen Brussel in te gaan. Vannacht slapen we dan hier. Morgen doen we nog een tweede dagje Brussel en rijden daarna naar huis. 't Is mooi geweest.'

'Prima', zegt Jacques. 'En als jullie ooit weer in Brussel komen: laat het me weten. Jullie zijn altijd welkom.'

Die middag zwerven pa, Kirsten en Steven door het oorlogsmuseum. Steven kijkt zijn ogen uit. Zo veel wapens, harnassen en uniformen heeft hij nog nooit bij elkaar gezien. Hij wil alle bordjes wel lezen die erbij staan, maar dan zou hij weken nodig hebben om het museum te bekijken. Kirsten is het meest onder de indruk van de afdeling waar Russisch tafelzilver wordt getoond, dat vroeger als oorlogsbuit was meegenomen.

'Goeiedag, zeg. Krijg ik toch nog een schat te zien. Hier staat denk ik nog meer dan in die tempelierskelder.'

'Dat denk ik niet', antwoordt Steven.

Pas tegen sluitingstijd verlaten ze het museum. Pa rijdt naar het centrum. Samen slenteren ze over de Grote Markt. Deze is eigenlijk nog mooier dan de markt in Brugge. Ze kopen een pizzabroodje en lopen mee in de voortdurende stroom toeristen die op weg is naar Manneken Pis.

'Is dat alles?' is Kirstens droge commentaar als ze het beroemde beeldje ziet. 'Ik dacht dat dat ding veel groter was.'

In de hoek van een pleintje staat het wereldberoemde mannetje.

Met een hand in de zij staat hij in zijn bekkentje te plassen. Steven had ook verwacht dat het groter zou zijn. Als het pleintje niet stampvol toeristen had gestaan die zich verdringen voor het hek, waren ze er misschien langsgelopen zonder het te zien. Als de duisternis over de stad trekt, worden de meeste gebouwen verlicht. Pas laat in de avond rijden ze terug naar Val Duchesse.

Laat die avond tikt Steven nog even op de deur van vaders slaapkamer.
'Wie is daar?'
'Ik ben het, Steven.'
'Kom d'r in.'
Pa heeft zijn pyjama al aan.
'Wat is er, joh?'
Steven loopt naar het raam en wijst naar buiten.
'Ziet u daar het oude kasteel van de familie?'
Pa kijkt naar buiten. Aan de overkant van de vijver achter de bomen steken de verlichte torens van het oude familieslot scherp af tegen de donkere lucht.
'Weet u wat ik denk?'
'Nou?'
'Volgens mij zijn we vanmorgen daar geweest. Toen we wegreden, reden we door grind, en toen we aankwamen weer. Volgens mij heeft de baron Herbert wat lukraak door Brussel laten rijden, zodat wij zouden denken dat we een heel eind bij Val Duchesse vandaan waren.'
Pa doet een stap dichter bij het raam.
'Daar zou je best eens gelijk in kunnen hebben. Als je erover nadenkt is dat een heel voor de hand liggende plek. Het ligt op hun privé-terrein.'
Pa legt zijn hand op Stevens schouder.
'Eigenlijk maakt het niet uit waar de schat van de tempeliers

ligt. De baron zal het ons nooit vertellen. En wij hebben beloofd onze mond erover te houden.'

Hij trekt Steven even tegen zich aan.

'Zelfs al zouden we dit aan iedereen rondbazuinen, hoeveel mensen zouden ons geloven? Ze zullen denken dat we niet sporen en ons voor gek verklaren. Je zou er zelfs wel een boek over kunnen schrijven. Geen mens die gelooft dat zoiets echt gebeurt.'

Historische verantwoording

D e laatste zin die Ton Simons in het boek uitspreekt klinkt logisch, maar is het niet. Wie zich verdiept in de geschiedenis van de tempeliers en de vrijmetselaars valt van de ene verbazing in de andere. Beide zijn geheime genootschappen, geen wonder dus dat ze omgeven zijn met mysteries en raadsels. Allerlei legendes doen de ronde. De tempeliers zouden echt de ark van het verbond hebben gevonden en in veiligheid gebracht. Legendes over de heilige graal duiken de hele geschiedenis door weer op.

Vrijmetselaars zouden streven naar een nieuwe wereldorde. Ze zouden in het diepste geheim op alle belangrijke posten geïnfiltreerd zijn en een stille wereldrevolutie voorbereiden. Wat er allemaal van waar is, weet ik niet.

Schrijvers met nog dikkere duimen dan ik, hebben er de meest fantastische avonturenverhalen over geschreven. En het gekke is dat veel mensen denken dat er op z'n minst een kern van waarheid in schuilt.

Dus voordat je naar Damme afreist om de tombe van de tempeliers te gaan bekijken, en je teleurgesteld naar huis gaat omdat je hem niet hebt kunnen vinden, zal ik iets vertellen over wat feit is in dit boek en wat fictie. Wat ik vertel over de geschiedenis van de tempeliers klopt. Koning Filips verraadde de tempeliers om zich meester te maken van hun geld. De Temple in Parijs bleek leeg. Tempeliers, waaronder Jacques de Molay, werden gemarteld, maar ze hielden hun mond. De schat is verstopt. Veel mensen denken in Schotland, maar er zijn sterke aanwijzingen dat de schat daadwerkelijk in België ligt. Ik heb zelfs gelezen dat de schat al in het diepste geheim gevonden zou zijn.

Dat de vinders de verblijfplaats van de schat verborgen hebben gehouden prikkelde mijn fantasie, en was het begin van dit boek.

De schat ligt in ieder geval niet in Brussel of Brugge, en zeker niet bij de kerk van Damme. Die plaatsen kon ik dus met een gerust hart noemen in mijn boek. Er staat in Damme een half afgebouwde kerk, maar er ligt geen middeleeuws kerkhof. Het kerkhof dat er wel ligt en de kerk zelf zijn wel een bezoek waard als je ervan houdt zulke zaken te bekijken. Brugge is prachtig en ook zeker een plek die je moet zien als je in Vlaanderen komt. De gebouwen en zaken die ik noem in de enigma's bestaan allemaal echt. Met het boek in de hand kun je de tocht die de familie Simons maakt makkelijk vinden. Ik vind Brussel een heerlijke stad om in rond te dwalen. Vanaf het Atomium heb je een mooi uitzicht over de stad. De kathedraal op de Koekelberg is heel bijzonder, en mijn zonen waren het legermuseum in het Jubelpark niet meer uit te slaan. De genoemde plaatsen bestaan, er waren tempeliers en er zijn vrijmetselaars. De rest is fantasie.

Bert Wiersema 2010

Heel veel mensen hebben me ook deze keer geholpen bij het tot stand komen van dit boek. Hartelijk dank aan Nelie, Gerrit, Klarine, Rutger, Willem, Aukelien, Kirsten, Bram, Hans, Roland, Marijke en Fenne, Henrique en Henrik, Goffe, Ineke, Gerike, Niels, Michelle en Harriët.